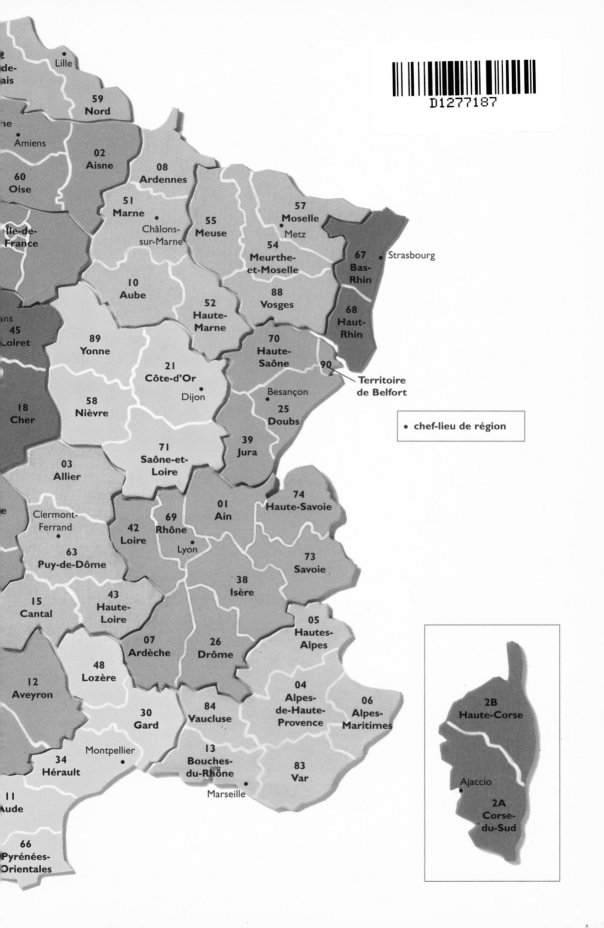

MEGA
France

Direction éditoriale
Éditions Nathan
Franck Girard, directeur du département Jeunesse

Direction de l'ouvrage
Marie-Odile Le Goff

Direction exécutive de l'ouvrage
Antoine Sabbagh

Direction artistique
Bernard Girodroux

Rédaction
Jacqueline de Bourgoing
Martine Gardini
Marie-Christine Roques
Antoine Sabbagh

Mise en page
Delphine Renon

Illustrations
Alabaster Michael William : 88-89, 102-103
Besson Jean-Louis : 12 à 15, 26-27, 30 à 51, 54 à 67, 74 à 79,
82 à 113, 122 à 125, 154-155, 176 à 179
Cerisier Emmanuel : 30-31, 34-35, 38-39, 50-51
Dequest Pierre-Emmanuel : 116-117
Dessaint Stéphane : 146-147
Deubelbeiss Patrick : 10-11, 62 à 65, 68 à 73, 76-77, 114-115, 118-119
Drochon Christophe : 138-139, 162-163, 166-167
Faller Régis : 114 à 121, 124 à 137, 140-141, 144 à 151, 156 à 159,
162-163, 170 à 175, 180 à 183
Ferrandez Jacques : 114-115, 118-119
Garel Béatrice : cartes 16-17, 140 à 143, 154-155
Guillou Jean-Marie : 152-153, 174-175
Houbre Gilbert : vignettes de couverture et 4e de couverture
(général de Gaulle d'après une photo de Guy Mas)
Jégou Christian : 6-7
Merlin Christophe : 158 à 161, 184-185
Mignon Philippe : 12-13, 16 à 21, 24-25, 30 à 41, 58-59, 74-75,
80-81, 84 à 87, 90-91, 120 à 137
Munch Philippe : 26 à 29, 44 à 47, 66-67, 78-79, 94-95, 110-111
Oliver : carte 148-149, 176-177
Pau Jean-Marc : 104 à 107
Pradeau Sylvie : pages de garde arrières
Puchol Jeanne : 156-157, 178-179, 182-183
Przybyszewski Jacek : calligraphie de couverture
Renon Delphine : 4-5, 22-23, 140-141, 176-177
Sinié Michel : 112-113, 164-165
Suppa : 126-127
Trolley Jean : 52-53
Truong Marcellino : 96-97, 170 à 173, 180-181
Wintz Nicolas : 8 à 11, 14-15, 42-43, 54 à 57, 60-61, 78-79, 82-83,
92-93, 98 à 101, 108-109, 144-145, 150-151, 168-169

Remerciements à :
la Direction de la communication de France Télécom, l'ASFA (association des sociétés
françaises d'autoroutes), la RATP, le SIRPA, le ministère de la Culture, Pascaline Droulers,
Maryse Fuchs, Frédéric Hannoteau, Solange Kornberg, Guillaume Renon, Laurent Rouvrais.

MEGA
France

NATHAN

SOMMAIRE

Les visages de la France :

La France d'hier :

La France d'aujourd'hui :

Population et régions

L'économie et la nation

Communication et culture

Les milieux naturels

Située à l'ouest du continent européen, la France se trouve à mi-chemin entre le pôle Nord (90° latitude Nord) et l'Équateur (0°) : le 45ᵉ degré de latitude Nord passe en effet à Bordeaux. Les espaces naturels peu aménagés occupent seulement 11 % du territoire français. Au cœur de la zone tempérée, la France offre des milieux naturels variés…

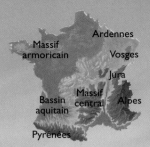

Massif armoricain
Ardennes
Vosges
Jura
Bassin aquitain
Massif central
Alpes
Pyrénées

● **Les milieux océaniques**
À l'ouest, le long de la façade atlantique, la proximité de la mer adoucit les températures : les hivers sont doux, les étés frais et les pluies fréquentes. Les horizons plats dominent : ce sont les plaines et les plateaux du Bassin parisien et du Bassin aquitain. Les monts d'Arrée, 384 mètres, dans le Massif armoricain, sont les seuls sommets remarquables de l'Ouest.

◄— ouest

Pentes et altitudes s'accentuent : c'est le domaine des montagnes aux sommets arrondis, Massif central, Ardennes, Jura, Vosges, et des hautes montagnes aux sommets élevés et pointus, Alpes, Pyrénées, Corse.

Près de l'océan, les vents empêchent les arbres de pousser : la lande est composée de genêts, d'ajoncs et de bruyères.

océan Atlantique

lande

La végétation naturelle des plaines et des plateaux, composée de chênes et de hêtres, a été très tôt défrichée pour laisser place aux cultures.

● Le milieu méditerranéen

Au sud-est, près de la mer Méditerranée, les hivers sont doux, les étés chauds et ensoleillés. À l'automne, les pluies orageuses peuvent être violentes. Des vents forts, mistral et tramontane, soufflent toute l'année. La végétation est adaptée à la sécheresse de l'été, mais résiste mal aux incendies. La forêt de chênes verts, de chênes-lièges a laissé la place au maquis et à la garrigue.

● Les milieux intérieurs

Plus on pénètre à l'intérieur du territoire, plus les contrastes augmentent : les hivers sont plus froids, les étés plus chauds et les pluies, moins fréquentes, peuvent prendre la forme de neige avec l'altitude.

Avec l'altitude, le froid augmentant, les arbres disparaissent entre 2 000 et 2 500 mètres. L'étagement de la végétation dépend aussi de l'orientation des versants.

est →

pelouses alpines

feuillus

conifères

maquis

garrigue

Les vallées dans cet espace montagneux sont des voies de passage privilégiées : la vallée de la Saône et du Rhône forme un couloir de circulation intense entre le nord et le sud.

7

Des paysages humanisés

Les champs d'Île-de-France : un immense damier. L'habitat est groupé en gros villages.

À l'ouest et dans les régions de montagne, les champs de petite taille sont fermés par des arbres, des haies, parfois par des murets : c'est le bocage.

● Les haies

Les haies étaient un refuge pour la faune. Leur destruction a causé un déséquilibre écologique et, aujourd'hui, de jeunes agriculteurs entreprennent de les replanter.

● À l'ouest, le bocage

Dans les paysages d'enclos, à la différence de l'Île-de-France, les paysans travaillent seuls les champs rassemblés autour de leur ferme. C'est le domaine de la prairie et de l'élevage. Depuis 1960, pour produire plus, on a rasé les haies, agrandi et mis en culture les champs.

LES COULEURS DE NOS RÉGIONS

Au printemps, la Provence a le bleu de la lavande, l'Île-de-France est verte du blé et du maïs en herbe, la vallée du Rhône a le blanc des pêchers en fleur. Mais aujourd'hui, les couleurs s'uniformisent. Au vert des campagnes se mêlent partout les taches d'or des champs de colza.

● En plaine, les champs ouverts

Sur les plaines et les plateaux, les grandes exploitations de plus de 100 hectares sont spécialisées dans la culture des céréales. Après 1945, les propriétaires échangent leurs parcelles afin de les regrouper. Ce remembrement agrandit les champs, formant ce que l'on appelle un openfield mosaïque. On y pratique l'agriculture la plus moderne, la plus productive de France.

Occupation de l'espace français :

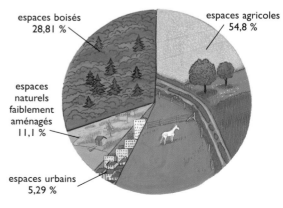

espaces boisés
28,81 %

espaces agricoles
54,8 %

espaces naturels faiblement aménagés
11,1 %

espaces urbains
5,29 %

Les paysages naturels sont rares car, depuis des millénaires, les hommes ont mis en valeur tous les espaces disponibles, à l'exception de la très haute montagne. Les campagnes de la « douce France » offrent une grande variété de paysages qui dépendent plus des aménagements successifs de chaque génération d'hommes que des conditions naturelles (climat, relief, sols).

En Alsace, les champs sont si étroits qu'ils ressemblent à des lames de parquet.

Au sud de la Loire, le soleil est plus généreux, et la vigne s'étend dans les plaines du Languedoc et dans le Bordelais.

Le midi de la France : les oliviers, la vigne, les arbres fruitiers.

● **La vigne**
La vigne était autrefois cultivée dans toutes les régions de France. Aujourd'hui, en Champagne, en Alsace, en Bourgogne, les vignes se situent sur les côteaux bien exposés des vallées, près des voies de transport naturelles du vin.

● **Les paysages du Midi**
La chaleur ne manque pas, mais les pluies irrégulières et violentes emportent le sol. Pour cultiver des champs plats où l'eau ne ruisselle pas, les hommes ont terrassé les collines en escalier. Mais ces terrasses, difficiles à exploiter, sont aujourd'hui remplacées, dans les plaines, par la culture en serre.

La France des villes

Les villes françaises ont connu un fort développement depuis 100 ans. Elles abritent trois personnes sur quatre. Les villes moyennes se sont multipliées mais les très grandes agglomérations demeurent rares. Depuis 40 ans, les banlieues connaissent une forte croissance. Près de la moitié des citadins y résident. Les plus grandes agglomérations s'appellent des métropoles régionales parce qu'elles fournissent des services à toute la région qui les entoure : grands hôpitaux, théâtres, sièges de banques, services juridiques…

● **Des villes anciennes**
La plupart des villes françaises ont des origines anciennes et très variées : un pont de l'époque gallo-romaine, comme à Orléans, le confluent de deux rivières (la Saône et le Rhône à Lyon), une mine datant du XIXᵉ siècle, comme à Lens, un port, comme à Marseille et Nice (villes fondées par les Grecs, respectivement en 600 et 400 avant Jésus-Christ).

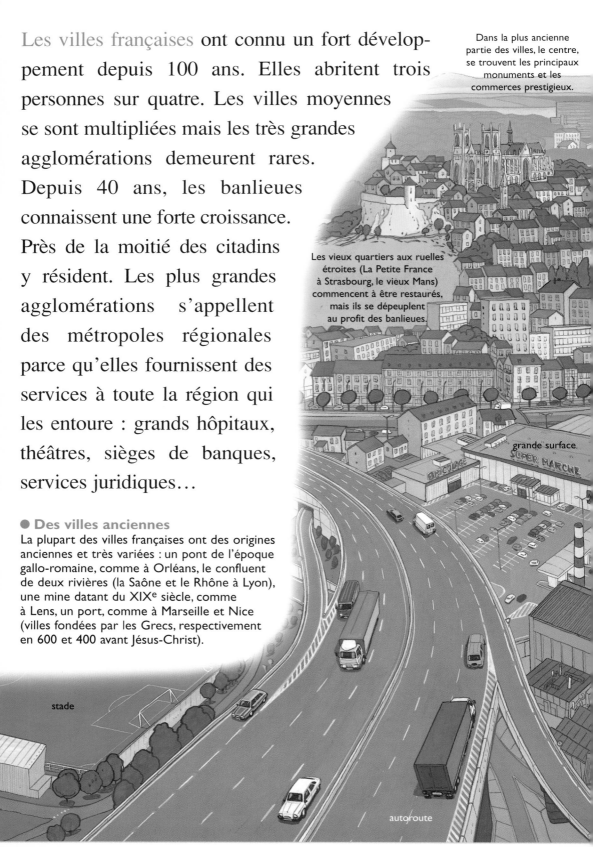

Dans la plus ancienne partie des villes, le centre, se trouvent les principaux monuments et les commerces prestigieux.

Les vieux quartiers aux ruelles étroites (La Petite France à Strasbourg, le vieux Mans) commencent à être restaurés, mais ils se dépeuplent au profit des banlieues.

grande surface

SUPER MARCHE

BRICOLAGE

stade

autoroute

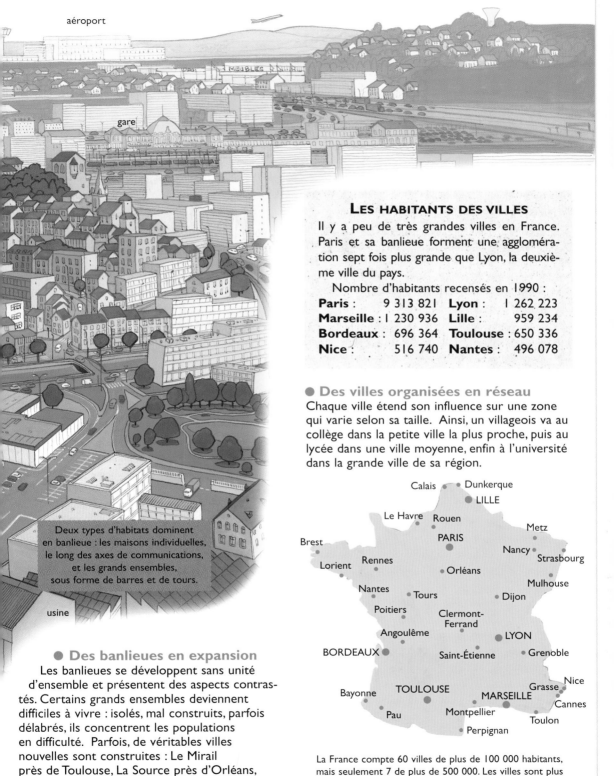

aéroport

gare

Deux types d'habitats dominent
en banlieue : les maisons individuelles,
le long des axes de communications,
et les grands ensembles,
sous forme de barres et de tours.

usine

LES HABITANTS DES VILLES

Il y a peu de très grandes villes en France.
Paris et sa banlieue forment une agglomération sept fois plus grande que Lyon, la deuxième ville du pays.

Nombre d'habitants recensés en 1990 :

Paris :	9 313 821	**Lyon** :	1 262 223
Marseille :	1 230 936	**Lille** :	959 234
Bordeaux :	696 364	**Toulouse** :	650 336
Nice :	516 740	**Nantes** :	496 078

● Des villes organisées en réseau

Chaque ville étend son influence sur une zone qui varie selon sa taille. Ainsi, un villageois va au collège dans la petite ville la plus proche, puis au lycée dans une ville moyenne, enfin à l'université dans la grande ville de sa région.

Calais — Dunkerque
LILLE
Le Havre Rouen
Metz
Brest PARIS
Nancy
Lorient Rennes Strasbourg
Orléans
Mulhouse
Nantes Tours Dijon
Poitiers Clermont-
Ferrand
Angoulême LYON
BORDEAUX Saint-Étienne Grenoble
Nice
Bayonne TOULOUSE Grasse
MARSEILLE
Pau Montpellier Cannes
Toulon
Perpignan

● Des banlieues en expansion

Les banlieues se développent sans unité d'ensemble et présentent des aspects contrastés. Certains grands ensembles deviennent difficiles à vivre : isolés, mal construits, parfois délabrés, ils concentrent les populations en difficulté. Parfois, de véritables villes nouvelles sont construites : Le Mirail près de Toulouse, La Source près d'Orléans, Le Vaudreuil près de Rouen.

La France compte 60 villes de plus de 100 000 habitants, mais seulement 7 de plus de 500 000. Les villes sont plus nombreuses à l'est qu'à l'ouest.

La plus grande forêt d'Europe

● Quelques arbres de France

hauteur
15 m

25 m

35 m

60 m

Le chêne-liège
pour les bouchons
grâce à son écorce
imperméable
et légère.

Le charme
pour les maillets,
les boules
et les quilles, car
son bois est très dur.

Le châtaignier
pour les poteaux,
les tonneaux, les
parquets… et même
pour faire de la farine.

L'épicéa
pour les instruments
à cordes, les charpentes,
le papier…
et les arbres de Noël !

● **Les Landes**

Elles forment le plus grand massif forestier
de France et d'Europe. C'est une forêt
exploitée, entretenue. Napoléon III,
au XIXe siècle, fit transformer en forêt
de pins maritimes cette région pauvre
et marécageuse.

La plus grande forêt
domaniale
(qui appartient à l'État)
est celle d'Orléans.

● **L'Ouest**

Les forêts des plaines et collines sont devenues
rares. Les villes et les cultures occupent
aujourd'hui l'espace. Près de Fontainebleau,
les anciennes forêts royales ou seigneuriales
ont été transformées en espaces de loisirs
pour les citadins.

Il y a mille ans, la France était encore couverte de forêts de pins, de bouleaux et de chênes. Au Moyen Âge, les grands défrichements commencent, et, jusqu'au XIXe siècle, les forêts restent essentielles pour l'économie paysanne. Ce n'est qu'au début du XIXe siècle que le manteau boisé regagne du terrain. Les forêts représentent aujourd'hui un quart du territoire, mais les espèces ont changé. On plante plutôt des résineux (pins, sapins) à croissance plus rapide.

QUEL ÂGE A LE PLUS VIEUX CHÊNE DE FRANCE ?

Environ 1 300 ans ! On peut le voir à Allouville, en Normandie. Ce chêne millénaire est classé monument historique.

● **L'Est**
C'est la région la plus arborée. Les forêts de montagnes couvrent les Vosges, le Jura, les Alpes, mais aussi le Massif central et les Pyrénées.

● **La forêt méditerranéenne**
Elle est fragile et menacée par les incendies.

Futaie de résineux dans les Vosges, une forêt menacée par les pluies acides.

● **Au Moyen Âge**
Les forêts permettent de se nourrir (champignons, châtaignes, miel, fruits), de faire paître le bétail. Le bois est également précieux pour s'éclairer, se chauffer, fabriquer des outils, des ustensiles ménagers, des sabots, des tonneaux, construire les maisons.

● **La forêt cultivée**
Les forestiers cultivent la forêt : ils choisissent les espèces, coupent le tronc des feuillus tous les 10 ans pour former des taillis. Il faut attendre 100 ans pour abattre les chênes d'une futaie.

13

Des paysages de l'extrême

On parle souvent de la douce France au relief modéré et au climat tempéré. Mais la France a aussi ses déserts, d'étonnants paysages sculptés par l'érosion, et ses villages où la température peut descendre en hiver aussi bas qu'à Moscou.

● **La Sibérie dans le Jura ?**
Les spécialistes nomment « petite Sibérie » (du nom de la région de l'est de la Russie), une aire du Haut-Jura qui, en France, bat les records de froid en hiver : − 40 °C. Le responsable de ce froid est la bise, vent du nord, qui s'engouffre en hiver dans la vallée du Doubs.

● **Des espaces dépeuplés**
La France, c'est aussi des espaces vides d'hommes et presque totalement dépourvus de végétation. Les causses Méjean et de Sauveterre sont deux immenses plateaux calcaires, d'une altitude moyenne de 1 000 mètres, à l'ouest des Cévennes. Battus par les vents, les Grands Causses sont de véritables déserts de rocailles. Ils se couvrent de neige en hiver, et, en été, la chaleur y est accablante. Ces espaces désolés ne sont parcourus que par les troupeaux.

RECORDS

Sur le plateau de Langres, les jours de gel sont cinq fois plus nombreux, en une année, qu'en Bretagne.

Saint-Véran, à 2 050 mètres, dans les Alpes du Sud, est le village le plus haut de France.

1 vallée du Doubs
2 causse Méjean
3 plateau de Langres
4 Chamonix
5 Apt
  Lubéron
6 Saint-Véran
7 Côte d'Azur
8 bassin d'Arcachon

● **La mer de Glace**

Dans le massif du Mont-Blanc, près de Chamonix, la mer de Glace est le témoin du grand froid qui s'abattit sur l'Europe il y a un million d'années. Sa surface est sculptée de profondes fissures : des crevasses. Ce glacier immense semble immobile. En réalité, il avance d'environ 50 cm par an et fond régulièrement.

● **Le désert du Colorado en Provence**

Les paysages sculptés de Rustrel, au nord d'Apt, ressemblent de façon étonnante au paysage américain du Colorado. Ce sont d'anciennes carrières d'ocre, pour la plupart abandonnées.

C'est dans le parc naturel du Lubéron que l'on trouve le ciel et l'air les plus purs, grâce, notamment, au climat très sec et à l'ensoleillement intense.

Dans le sud de la France, l'ensoleillement est deux fois plus long que dans le Nord (en nombre d'heures par an). Le record est détenu par la Côte d'Azur.

● **Le Sahara en Gironde**

La plus haute dune d'Europe se trouve au sud du bassin d'Arcachon, c'est la dune du Pilat. Large de 500 m et longue de 3 km, elle mesurait 83 m en 1850 et 110 m en 1995. Sans cesse modelée et remaniée par les vents comme le sont les dunes du Grand Erg au Sahara, elle avance sur la forêt sans que rien ne l'arrête.

La France abrite des milliers d'animaux (la faune) et de plantes (la flore) sauvages. Cette diversité, une des plus grandes d'Europe, est menacée. De nombreuses espèces ont disparu, comme le loup, le lynx, d'autres sont en voie d'extinction (le vautour fauve…)

La chasse, la pêche, la pollution agricole et industrielle, l'urbanisation (l'extension des villes) sont responsables de cet appauvrissement.

DES ESPÈCES PROTÉGÉES

Depuis trente-cinq ans, des mesures sont prises pour préserver le patrimoine naturel et empêcher les destructions massives. Ainsi 7 parcs nationaux, 27 parcs régionaux et 104 réserves naturelles ont été créés ; ils couvrent 9 % du territoire français. La pêche et la chasse sont très réglementées.

EN QUELQUES CHIFFRES…

Aujourd'hui, 132 espèces d'oiseaux sur 353 connues, 1 espèce de poisson sur 3 sont menacées. Toutes les chauves-souris, presque tous les reptiles, la moitié des mammifères, 2 espèces végétales sauvages sur 5, sont protégés.

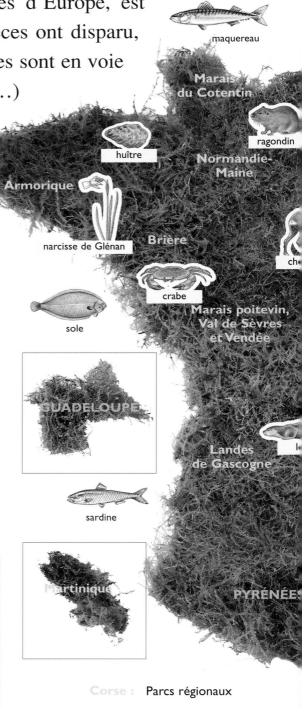

lieu jaun

maquereau

Marais du Cotentin

ragondin

huître

Normandie-Maine

Armorique

narcisse de Glénan

Brière

ch

crabe

sole

Marais poitevin, Val de Sèvres et Vendée

GUADELOUPE

Landes de Gascogne

sardine

Martinique

PYRÉNÉE

Corse : Parcs régionaux

ÉCRINS : Parcs nationaux

Faune et flore sauvages

pensée de curtis

sanglier

Montagne de Reims

cerf

tétras lyre

Lorraine

Vosges du Nord

Haute Vallée de Chevreuse

Forêt d'Orient

escargot

Ballon des Vosges

Brenne

Morvan

Haut-Jura

couleuvre

oie sauvage

Livradois-Forez

sabot-de-Vénus

chamois

Volcans d'Auvergne

Pilat

VANOISE

Vercors

Queyras

ÉCRINS

marmotte

Grands Causses

aigle royal

CÉVENNES

bouquetin

MERCANTOUR

Haut-Languedoc

flamand rose

Camargue

Lubéron

ours brun

PORT-CROS

hibiscus

Corse

La Camargue

Les loups ont disparu depuis 40 ans. Pourtant, en 1992, deux loups ont été réintroduits dans le parc du Mercantour. On en compte aujourd'hui une dizaine.

Fleuves, rivières et canaux

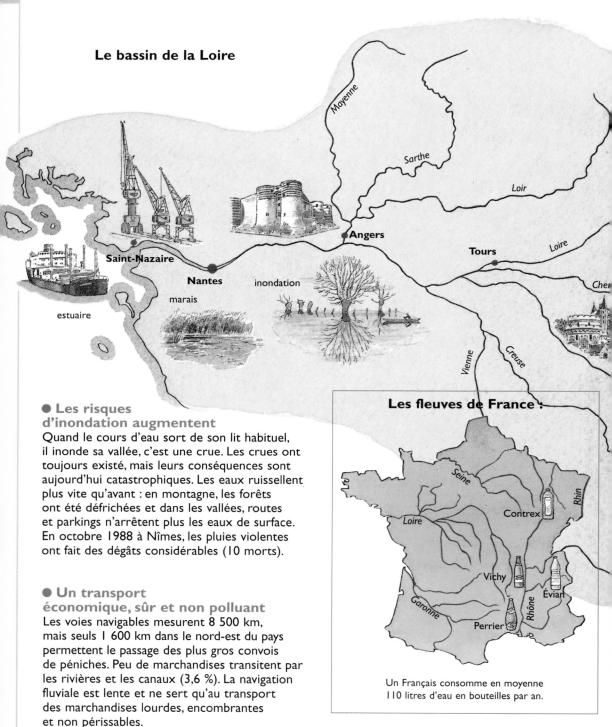

Le bassin de la Loire

Mayenne

Sarthe

Loir

Angers

Tours

Loire

Cher

Saint-Nazaire

Nantes

inondation

marais

estuaire

Vienne

Creuse

● Les risques
d'inondation augmentent

Quand le cours d'eau sort de son lit habituel,
il inonde sa vallée, c'est une crue. Les crues ont
toujours existé, mais leurs conséquences sont
aujourd'hui catastrophiques. Les eaux ruissellent
plus vite qu'avant : en montagne, les forêts
ont été défrichées et dans les vallées, routes
et parkings n'arrêtent plus les eaux de surface.
En octobre 1988 à Nîmes, les pluies violentes
ont fait des dégâts considérables (10 morts).

● Un transport
économique, sûr et non polluant

Les voies navigables mesurent 8 500 km,
mais seuls 1 600 km dans le nord-est du pays
permettent le passage des plus gros convois
de péniches. Peu de marchandises transitent par
les rivières et les canaux (3,6 %). La navigation
fluviale est lente et ne sert qu'au transport
des marchandises lourdes, encombrantes
et non périssables.

Les fleuves de France :

Seine

Rhin

Contrex

Loire

Vichy

Évian

Garonne

Rhône

Perrier

Un Français consomme en moyenne
110 litres d'eau en bouteilles par an.

une péniche de 1 200 tonnes = 40 wagons ou 40 à 45 camions

gravier   sable   charbon   minerai

La France compte 5 bassins fluviaux (un fleuve et ses affluents) : la Loire, la Garonne, la Seine, le Rhône et le Rhin. La France du Nord-Ouest, aux cours d'eau calmes, s'oppose à la France du Sud-Est, aux cours d'eau rapides et changeants selon les saisons. Les ressources en eau sont abondantes, elles proviennent des précipitations. Les pluies sont en général régulières, et les sécheresses sont exceptionnelles (1921, 1949, 1976).

consommation d'eau potable : 9 %

agriculture : 37 % (irrigation)

industrie et production d'énergie : 54 %

● 8 milliards de mètres cubes (m³) d'eau
La France ne manque pas d'eau, mais les besoins augmentent : 8 milliards de m³ d'eau sont consommés par an.

● L'eau, un capital à préserver
Une partie des nappes d'eau souterraines et des cours d'eau est polluée par les nitrates. Cette pollution provient des engrais, des lisiers (excréments) des porcheries, des villes et des industries. Pour rendre l'eau du robinet consommable par tous, les eaux usées subissent des traitements avant de rejoindre les rivières.

Orléans

centrale nucléaire

Nevers

Indre

Loire

Les barrages et les digues, une solution pour se protéger des crues ordinaires. Les levées qui contiennent la Loire depuis le Moyen Âge n'ont pu empêcher l'inondation, en septembre 1980, du bassin du Puy (8 morts).

barrage

● Les canaux, rivières bâties par l'homme
En l'absence de rivières ou en cas de rivières non navigables, des canaux ont été construits. Le canal du Midi, le plus ancien d'Europe, permet dès le XVIIe siècle d'établir la liaison Méditerranée-Atlantique. Au XIXe siècle, avec l'industrialisation, les canaux deviennent plus nombreux.

S.O.S LOIRE VIVANTE

« S.O.S. Loire vivante » lutte depuis 1986 contre certains projets d'aménagements.

Allier

la source, au mont Gerbier-de-Jonc

LES PLUS GRANDS...
Le plus grand fleuve de France : la Loire, 1 012 km de long.
Les plus grands ports fluviaux : Paris et Strasbourg.

Les paysages maritimes

La France est le « nez maritime » de l'Europe. Elle termine, à l'ouest, le continent européen par une avancée sur la mer : le Finistère. La France est le seul pays européen ouvert sur deux domaines maritimes : l'Atlantique et la mer Méditerranée. Le domaine atlantique (océan Atlantique, Manche, mer du Nord) est source de richesses. La Méditerranée est une mer presque fermée par le détroit de Gibraltar. Le littoral (les côtes) s'étend sur plus de 3 300 kilomètres.

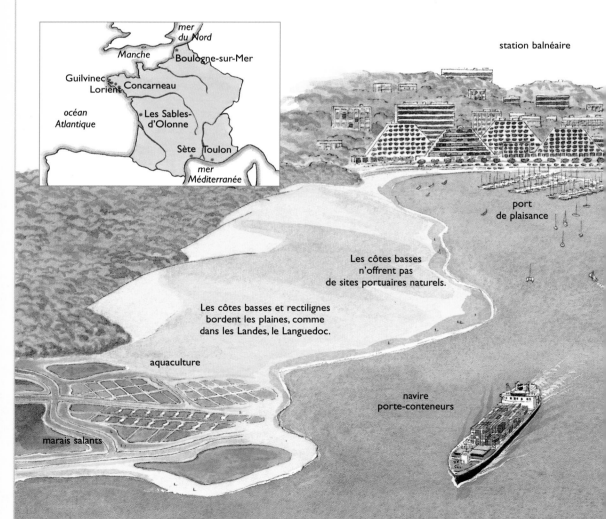

mer du Nord
Manche
Boulogne-sur-Mer
Guilvinec
Lorient
Concarneau
océan Atlantique
Les Sables-d'Olonne
Sète Toulon
mer Méditerranée

station balnéaire

port de plaisance

Les côtes basses n'offrent pas de sites portuaires naturels.

Les côtes basses et rectilignes bordent les plaines, comme dans les Landes, le Languedoc.

aquaculture

navire porte-conteneurs

marais salants

● Le domaine Atlantique

Il représente 19 % des prises mondiales de poisson, et les gisements sous-marins de pétrole et de gaz y sont nombreux. Ouvert sur le reste du monde, il permet ainsi aux ports européens d'être des lieux actifs du commerce maritime mondial.

● La Méditerranée

Le littoral méditerranéen est depuis des millénaires aménagé et transformé par l'homme. Les anciens ports de pêche sont remplacés par des installations industrielles, des zones touristiques, des quartiers d'habitation en front de mer. Fortement menacées par la pollution, les eaux de la Méditerranée sont aujourd'hui en danger.

le Mont-Saint-Michel

● La mer, un patrimoine à sauvegarder

Au Mont-Saint-Michel, la baie est menacée d'ensablement : si rien n'est entrepris, l'île sera bientôt rattachée au continent et on ne pourra plus voir, à marée haute, la mer monter « à la vitesse d'un cheval au galop » !

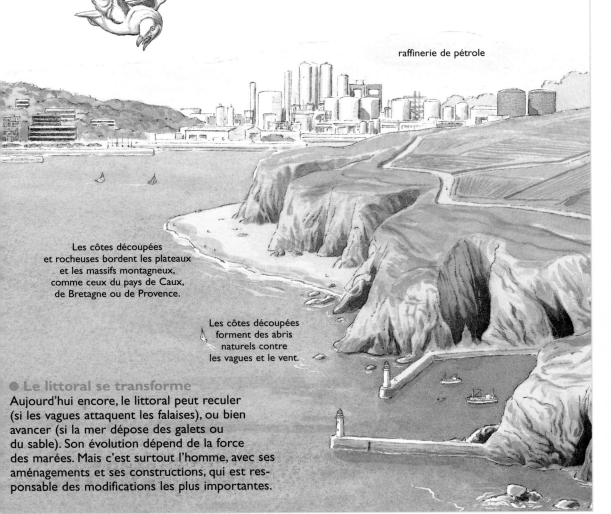

raffinerie de pétrole

Les côtes découpées et rocheuses bordent les plateaux et les massifs montagneux, comme ceux du pays de Caux, de Bretagne ou de Provence.

Les côtes découpées forment des abris naturels contre les vagues et le vent.

● Le littoral se transforme

Aujourd'hui encore, le littoral peut reculer (si les vagues attaquent les falaises), ou bien avancer (si la mer dépose des galets ou du sable). Son évolution dépend de la force des marées. Mais c'est surtout l'homme, avec ses aménagements et ses constructions, qui est responsable des modifications les plus importantes.

Les frontières

La France, avec 551 695 km², est le plus grand pays européen (hors la Russie). Les frontières d'aujourd'hui datent du XIXᵉ siècle. La France comprend : *un espace terrestre* (les frontières terrestres, longues de 2 100 km, délimitent le territoire français), *un espace maritime* (la France possède une bande de mer de 370 km au large de ses côtes, la Zone Économique Exclusive), *un espace aérien* (l'espace « supérieur » possède aussi des frontières).

La France actuelle s'inscrit dans une figure géométrique à six côtés, un hexagone.

MANCHE

Les avions doivent demander l'autorisatio[n] de survoler la France et se faire guider depu[is] les tours de contrôle par les aiguilleurs du ci[el]

Etats-U[nis]

chalutier français

OCÉAN ATLANTIQUE

forages pétroliers

chalutier espagn[ol]

Dans le golfe de Gascogne riche en poissons, les pêcheurs espagnols et français s'affrontent et n'acceptent pas le partage des eaux : les frontières en pleine mer sont difficiles à délimiter et à faire respecter !

2 100 km de frontière terrestre

ZEE, la zone économique exclusive

ESPAGNE

Au sud et à l'est, les Pyrénées et les Alpes, véritables barrières montagneuses, forment des frontières « naturelles ».

● L'ouverture

PORTUGAL

Aujourd'hui, les frontières ne sont plus des barrières. La France et ses partenaires de l'Union européenne les effacent peu à peu, pour permettre une meilleure entraide économique, sociale et culturelle entre les pays voisins.

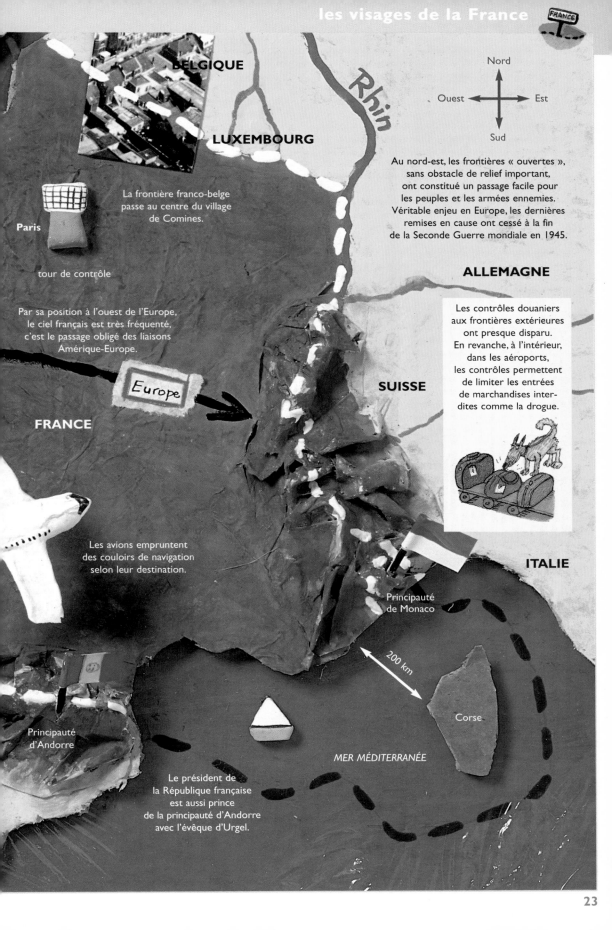

BELGIQUE

LUXEMBOURG

Rhin

Nord

Ouest ←→ Est

Sud

Au nord-est, les frontières « ouvertes », sans obstacle de relief important, ont constitué un passage facile pour les peuples et les armées ennemies. Véritable enjeu en Europe, les dernières remises en cause ont cessé à la fin de la Seconde Guerre mondiale en 1945.

La frontière franco-belge passe au centre du village de Comines.

Paris

tour de contrôle

ALLEMAGNE

Par sa position à l'ouest de l'Europe, le ciel français est très fréquenté, c'est le passage obligé des liaisons Amérique-Europe.

Les contrôles douaniers aux frontières extérieures ont presque disparu. En revanche, à l'intérieur, dans les aéroports, les contrôles permettent de limiter les entrées de marchandises interdites comme la drogue.

Europe

SUISSE

FRANCE

Les avions empruntent des couloirs de navigation selon leur destination.

ITALIE

Principauté de Monaco

200 km

Corse

Principauté d'Andorre

MER MÉDITERRANÉE

Le président de la République française est aussi prince de la principauté d'Andorre avec l'évêque d'Urgel.

La France lointaine

La France d'outre-mer est composée d'un ensemble de territoires petits, isolés et dispersés comme des « confettis » sur les mers chaudes (Pacifique Sud, océan Indien, mer des Antilles) et froides (Atlantique Nord, Antarctique). Aujourd'hui, elle couvre 559 400 km^2 (autant que la France métropolitaine) mais n'est peuplée que par 2 millions d'habitants (58 millions pour la métropole). Les habitants des D O M - T O M vivent à 95 % dans les îles tropicales.

océan Atlantique

océan Indien

Mayotte

Réunion

terres Australes

terre Adélie

□ **DOM**
Les 4 départements d'outre-mer (Guadeloupe, Martinique, Guyane, Réunion) sont français depuis plus de 300 ans.

□ **TOM**
Les territoires d'outre-mer (Polynésie française, Nouvelle-Calédonie, Wallis et Futuna et les terres Australes) sont français depuis 200 ans. Ils ont une plus grande autonomie, et peuvent devenir indépendants.

□ **CT**
Les 2 collectivités territoriales : Saint-Pierre-et-Miquelon, Mayotte.

l'île de la Réunion

● **Les territoires de l'océan Indien**
La Réunion est une magnifique île volcanique où se sont mêlées les populations d'Afrique et d'Asie.

Les terres Australes et Antarctiques, comme l'île Kerguelen et terre Adélie, ne sont habitées que par les chercheurs des stations scientifiques.

La ville de Mana,
au nord
de la Guyane

● **Les territoires de l'Atlantique**
Saint-Pierre-et-Miquelon, port industriel
et militaire, vit de la pêche à la morue dans
le froid et la neige. Le partage des droits
de pêche est une source de conflits avec
le Canada voisin.
La Martinique et la Guadeloupe étaient autrefois
des « îles à sucre ». Aujourd'hui, les cultures
de bananes, d'ananas ont peu à peu remplacé
la canne à sucre. Paradis tropical, les Antilles
françaises connaissent un fort essor du tourisme.
Mais le chômage reste élevé et l'économie
dépendante de la métropole.

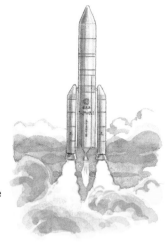

Sur la base spatiale
de Kourou, en Guyane,
ont lieu les lancements
de la fusée européenne
Ariane.

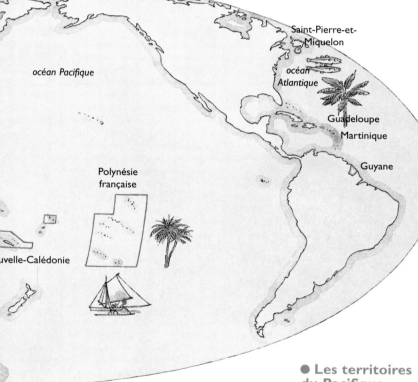

océan Pacifique

Saint-Pierre-et-
Miquelon

océan
Atlantique

Guadeloupe

Martinique

Guyane

Polynésie
française

Nouvelle-Calédonie

colonie de manchots Empereur dans l'Antarctique

● **Les territoires
du Pacifique**
Ce sont des îles volca-
niques regroupées en
archipels comme Tahiti,
et des atolls, îles basses
formées de coraux, comme
Bora-Bora. Les atolls ont permis
à la France de mener des expériences
nucléaires souvent critiquées par ses voisins.
La Polynésie française est composée de 118 îles !
La Nouvelle-Calédonie est le seul territoire
d'outre-mer qui possède une véritable richesse
minière : le nickel, qui sert à la fabrication
de l'acier inoxydable. En 1998, la population
se prononcera pour ou contre son indépendance.

La Préhistoire, le paléolithique

La « dame de Brassempouy », petite sculpture en ivoire trouvée dans les Landes, a près de 25 000 ans.

La Préhistoire s'étend de l'apparition de l'homme (il y a environ 6 millions d'années) à l'invention de l'écriture (il y a 3 500 ans). En France, les premiers outils en pierre taillée apparaissent il y a 600 000 ans. C'est le début du paléolithique (âge de la pierre ancienne). À cette époque, les hommes vivent de la cueillette et de la chasse.

500 000 ans domestication du feu	400 000 ans hommes de Tautavel : biface	380 000 ans à Terra Amata : traces de foyers	80 000 ans hommes de Néanderthal : ils enterrent leurs morts	35 000 ans hommes de Cro-Magnon : aiguille, propulseur

UNE DÉCOUVERTE À TAUTAVEL

L'homme de Tautavel, découvert près de Perpignan, est le plus ancien habitant connu de la France. Il chasse l'éléphant, le sanglier, le rhinocéros laineux. Son principal outil, le biface, est un silex taillé assez tranchant pour fabriquer des épieux ou dépecer des animaux.

LES HOMMES DE NÉANDERTHAL

Présents en France il y a 80 000 ans, ils disparaissent 40 000 ans plus tard. Avec leurs yeux surmontés de bourrelets osseux, les hommes de Néanderthal sont différents de l'homme moderne.

les hommes de Cro-Magnon

Ils tranchent la viande avec des lames de silex.

Ils disposent d'outils perfectionnés qui leur permettent d'attaquer le gibier sans l'approcher grâce au javelot, à l'arc.

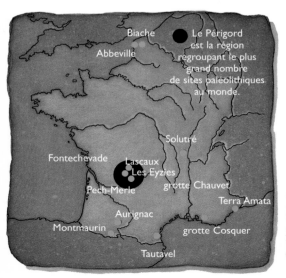

Biache
Abbeville
Le Périgord est la région regroupant le plus grand nombre de sites paléolithiques au monde.
Solutré
Fontechevade
Lascaux
Les Eyzies
Pech-Merle
grotte Chauvet
Terra Amata
Aurignac
Montmaurin
grotte Cosquer
Tautavel

LES GROTTES

Ornées de fresques, les grottes étaient sans doute des sanctuaires, des lieux de culte. Des préhistoriens pensent que ces animaux représentent le gibier que les chasseurs espéraient prendre. Pour d'autres, les fresques sont une première forme d'écriture. Le corps des animaux (cheval, bison) est en effet souvent parsemé de signes (points ou traits). Leur sens reste mystérieux.

La grotte sous-marine de Cosquer, près de Marseille, a été découverte en 1992. Des représentations uniques de pingouins y ont été trouvées.

La grotte Chauvet, découverte en 1994 en Ardèche, abrite les plus anciennes peintures rupestres du monde connues à ce jour. Elles datent d'environ 31 000 ans.

LES HOMMES DE CRO-MAGNON

Venu du Proche-Orient, l'homme moderne apparaît en France il y a 35 000 ans. Des squelettes ont été retrouvés dans la principauté de Monaco et à Cro-Magnon, en Dordogne. Physiquement, ces hommes ressemblent à l'homme d'aujourd'hui. Ils se déplacent par petits groupes et trouvent refuge dans les vallées abritées du sud-ouest. Le climat est alors très froid.

Les hommes de Cro-Magnon vivent dans des cabanes de plein air ou à l'entrée de grottes.

Ils peignent sur les parois des grottes de magnifiques fresques où sont représentés bisons, chevaux et mammouths.

Les hommes de Cro-Magnon gravent sur leurs lances les animaux qu'ils souhaitent chasser et sculptent l'ivoire ou l'os.

Ils cousent leurs vêtements avec des aiguilles d'os.

La révolution néolithique

Vers 8000 avant Jésus-Christ, le climat se réchauffe en Europe. D'immenses forêts remplacent la steppe. Pendant cette période néolithique (âge de la pierre nouvelle, ou pierre polie), l'homme découvre de nouvelles techniques qui bouleversent son existence.

pointe de hache

BERGERS ET PAYSANS

Les troupeaux de rennes et de bisons ont disparu. L'homme, contraint à trouver une autre nourriture, devient agriculteur et éleveur. Il défriche les forêts. Dans les clairières, il élève des animaux qu'il domestique, comme le mouton. Il cultive des céréales et des légumes, fabrique des farines, des bouillies et des galettes.

LES PREMIERS VILLAGES

Les conditions de vie s'améliorent et le nombre d'hommes augmente fortement : de 5000 ans à 2500 ans avant Jésus-Christ, la population passe de 500 000 à 5 millions. Les hommes se fixent, ils deviennent sédentaires. Ils construisent les premiers villages : les maisons rectangulaires, en bois et en argile, parfois en pierre, abritent des familles de sept à dix personnes.

L'élevage des moutons. On élève aussi des bœufs, des porcs, des chèvres.

la pêche au filet

La pierre est polie par frottement. Le *polissoir* est une roche dure, souvent du *grès*.

Dans tous les cours d'eau, le poisson (carpe, lotte, saumon, brochet...) est abondant.

● **Menhirs et dolmens à Carnac**

Les menhirs de Carnac, en Bretagne, ont été dressés entre 3000 et 2000 avant Jésus-Christ. Aujourd'hui, on ignore pourquoi les hommes ont disposé ainsi ces pierres géantes dont certaines pèsent jusqu'à 200 tonnes. On sait, en revanche, que les dolmens étaient d'immenses tombeaux où se déroulaient des cérémonies religieuses.

● **Des techniques nouvelles**

Grâce au polissage de la pierre, les artisans fabriquent des outils plus efficaces. Avec leurs haches de pierre, les bûcherons peuvent abattre des arbres de la grosseur d'un bras. La poterie se développe à partir de 7000 avant Jésus-Christ : les agriculteurs conservent les céréales dans des récipients en terre cuite. Les hommes apprennent aussi à tisser la laine des moutons.

LA NAISSANCE DU COMMERCE

Les artisans fabriquent déjà outils et armes en série. Les silex polis de la vallée de la Loire sont vendus à travers l'Europe. Les marchands voyagent et naviguent de plus en plus loin. Avec le développement du commerce, les contacts entre les peuples se multiplient.

L'ÂGE DES MÉTAUX

Le cuivre apparaît en France vers 2500 avant Jésus-Christ : on l'utilise pour les armes et les bijoux. Vers 1500 avant Jésus-Christ est inventé le bronze, alliage très résistant, employé pour fabriquer des épées et des lances. Le travail du fer, introduit par les Celtes vers 1000 avant Jésus-Christ, permet de façonner des armes et des outils pour l'agriculture.

On donne généralement le nom de « mégalithes » (grandes pierres), à ces monuments. En France, on compte 4 500 dolmens et 8 000 menhirs.

De nouveaux outils (faucilles, houes…) sont nécessaires pour cultiver la terre.

Les paniers tressés servent au transport des marchandises.

les premières poteries

La Gaule entre dans l'Histoire

Deux cents ans avant Jésus-Christ, la Gaule compte une soixantaine de tribus différentes, d'origine celte. Les Gaulois parlent la même langue, ont la même manière de vivre, mais s'entendent mal entre eux et ne parviennent pas à s'unir pour combattre les puissants envahisseurs Romains.

Si l'on en croit les Romains, les Gaulois étaient de grands guerriers blonds dont les cheveux « lessivés continuellement, étaient épais comme la crinière des chevaux »…

Vercingétorix dépose ses armes devant César.

l'oppidum

FACE À L'ENNEMI

Depuis 121 avant Jésus-Christ, les Romains occupent le sud de la Gaule. En 58 avant Jésus-Christ, le général romain Jules César décide de conquérir le reste du pays. Les Gaulois s'unissent enfin pour lui résister. Conduits par Vercingétorix, les cavaliers gaulois battent les Romains à Gergovie, mais sont vaincus à Alésia, en 52 avant Jésus-Christ. Six ans plus tard, César fait étrangler Vercingétorix qui était prisonnier à Rome. La Gaule devient une province romaine.

DES PEUPLES GUERRIERS

« La race gauloise est irritable et folle de guerre », nous dit l'écrivain grec Strabon. L'oppidum, une forteresse construite en hauteur, abrite les guerriers, leur chef et sa famille. Le peuple vit à l'extérieur des remparts et se réfugie dans l'oppidum en cas de danger.

● **Les druides**
Très instruits, ils sont prêtres de la religion gauloise, mais aussi juges, savants, guérisseurs, chirurgiens et professeurs.

● **Menu gaulois**
Pain à la levure de bière, bouillies d'orge ou de blé, viande de porc, de bœuf rôti ou bouilli, boudin, fromages, miel, bière ou vin.

MOTS D'ORIGINE GAULOISE

chat — ruche — chèvre — chêne
et aussi taureau, charrue, savon, roche, crème…

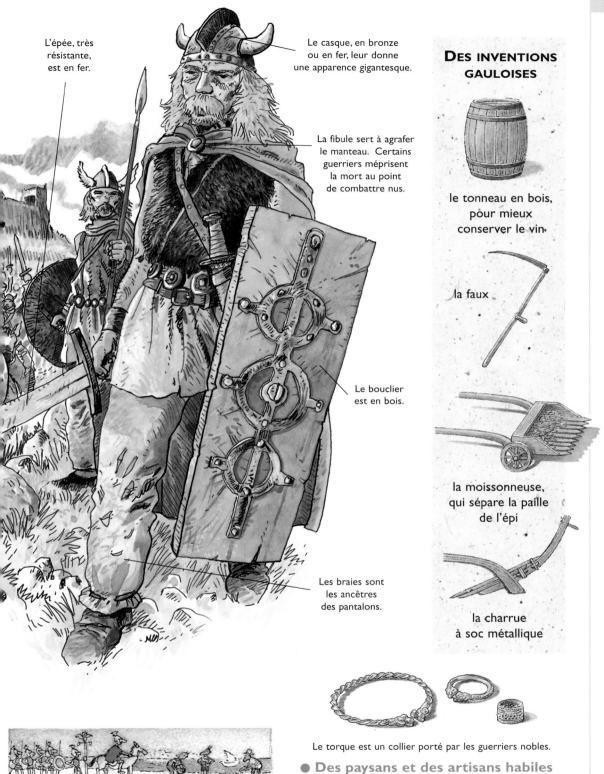

L'épée, très résistante, est en fer.

Le casque, en bronze ou en fer, leur donne une apparence gigantesque.

La fibule sert à agrafer le manteau. Certains guerriers méprisent la mort au point de combattre nus.

Le bouclier est en bois.

Les braies sont les ancêtres des pantalons.

DES INVENTIONS GAULOISES

le tonneau en bois, pour mieux conserver le vin

la faux

la moissonneuse, qui sépare la paille de l'épi

la charrue à soc métallique

Le torque est un collier porté par les guerriers nobles.

49 avant Jésus-Christ :
Marseille, ville fondée par les Grecs, est prise par César.

● **Des paysans et des artisans habiles**
Les Gaulois sont d'excellents agriculteurs.
Ils travaillent également très bien le fer avec lequel ils fabriquent armes et outils. Ils savent aussi ciseler des bijoux en or, en bronze argenté.

La Gaule romaine

Vaincus, les Gaulois acceptent les lois, la langue (le latin), la religion romaines. Les échanges et les mariages entre Gaulois et Romains transforment également la société. Les Gaulois deviennent Gallo-Romains et la Gaule l'une des provinces les plus prospères de l'Empire.

la villa, une grande exploitation agricole

arc de triomphe

le forum, la place publique

des rues à angle droit

les arènes

thermes

Arles, Lyon, Nîmes, Narbonne, Orange, des villes où l'on peut voir encore aujourd'hui de superbes édifices datant de la période gallo-romaine.

● **Les thermes : l'art des bains**

Chaque ville a ses thermes, ses bains froids, tièdes et chauds. On y vient par hygiène, mais aussi pour se distraire, parler entre amis, jouer aux dés, se faire masser, comme à Vaison-la-Romaine. On peut également s'y instruire (bibliothèque) ou faire du sport (gymnase).

DES VILLES MAGNIFIQUES

En Gaule, les Romains bâtissent, embellissent, agrandissent les villes, comme Lyon, la capitale, mais aussi Narbonne, Arles, Orange, Nîmes, Aix. Ce sont de magnifiques cités de pierre dont les rues se coupent à angle droit. Le forum est la place principale où l'on vient commercer, discuter, se rencontrer. Les plus belles maisons sont décorées de peintures, de mosaïques, et parfois chauffées (par un système de tuyaux souterrains). L'eau est amenée jusqu'aux fontaines et aux maisons des plus riches, grâce aux aqueducs.

● **Partout des spectacles**

Au théâtre, les Gallo-Romains assistent à des spectacles, applaudissent mimes, montreurs d'animaux, musiciens. Les arènes leur offrent gratuitement des combats de bêtes féroces ou de gladiateurs.

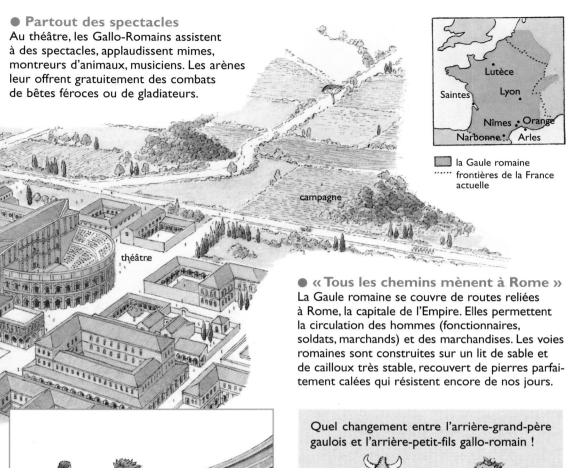

campagne

théâtre

la Gaule romaine
······ frontières de la France actuelle

● **« Tous les chemins mènent à Rome »**

La Gaule romaine se couvre de routes reliées à Rome, la capitale de l'Empire. Elles permettent la circulation des hommes (fonctionnaires, soldats, marchands) et des marchandises. Les voies romaines sont construites sur un lit de sable et de cailloux très stable, recouvert de pierres parfaitement calées qui résistent encore de nos jours.

Blandine sera dévorée par les lions.

UNE NOUVELLE RELIGION

Les Gallo-Romains adoptent les dieux romains, le culte de l'empereur (considéré lui aussi comme un dieu). À la fin du Iᵉʳ siècle se répand le christianisme, nouvelle religion qui ne connaît qu'un Dieu unique. Ceux qui la pratiquent, les chrétiens, sont persécutés. Ainsi, Blandine est condamnée à être dévorée par les fauves dans les arènes de Lugdunum (Lyon). Ces persécutions cessent quand l'empereur Constantin devient chrétien en 337.

Quel changement entre l'arrière-grand-père gaulois et l'arrière-petit-fils gallo-romain !

Mon arrière-grand-père s'appellait Epotsorovidos. Il était guerrier et vivait à Saintes (Santorum).

Je m'appelle Caius Julius Rufus. Je suis grand prêtre de l'empereur Auguste et je vis à Lyon (Lugdunum).

313 après Jésus-Christ :
Le christianisme est autorisé dans l'Empire romain.

Devenu trop vaste pour être bien défendu, l'Empire romain est menacé. Les Barbares, c'est ainsi que les Romains nomment les étrangers à l'Empire, l'attaquent par vagues successives et font craquer ses frontières.

> **FRANCE, FRANÇAIS**
> viennent de franc, qui signifie « hardi », « libre ».

LES INVASIONS BARBARES

À la Paix romaine succède une époque de grande violence. En 406, des peuples germains déferlent sur la Gaule : Vandales, Alamans, Burgondes, Francs. Menés par leurs chefs de guerre, ils ravagent les villes, les monastères, et s'installent avec leurs familles sur les terres. Ils sont eux-mêmes poussés par des pillards plus redoutables encore, les cavaliers huns d'Attila.

LA FIN DE LA GAULE ROMAINE

Coupée de Rome, la Gaule est complète-ment désorganisée. Les habitants terrifiés quittent les villes. La population, privée de protection, se réfugie dans les églises et tente de s'allier avec les chefs barbares les moins redoutables. En 476, le dernier empereur romain est détrôné.

En 496, Clovis est baptisé par l'évêque Remi à Reims, avec 3 000 de ses guerriers.

PREMIÈRE DYNASTIE DE NOTRE HISTOIRE

Roi des Francs (petite peuplade installée au nord de la Gaule), chef de guerre remarquable, Clovis étend son royaume jusqu'aux Pyrénées. Seul roi barbare devenu chrétien, sous l'influence de sa femme Clotilde, il a l'appui de l'Église gallo-romaine et des grands propriétaires terriens. Il fonde la dynastie des Mérovingiens (du nom de Mérovée, son grand-père).

La dureté des temps barbares

Clovis veut rendre à l'évêque de Soissons un vase précieux acquis lors du pillage de cette ville. Un des guerriers s'y oppose et brise le vase. Un an plus tard, en passant ses troupes en revue, Clovis s'arrête devant le coupable et dit, en lui fracassant le crâne d'un coup de hache : « Ainsi as-tu fait du vase de Soissons ! »

Attila, surnommé le « fléau de Dieu »

Jeune Barbare élevé par les Romains, il oublie son éducation raffinée et mène ses guerriers huns, nomades d'origine mongole, aux pillages et aux massacres. « C'est à cheval jour et nuit que les Huns mangent, boivent, dorment. On les croirait cloués sur leur cheval ! »

La Gaule vers le Ve siècle

La Gaule vers le VIe siècle

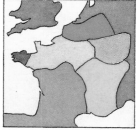

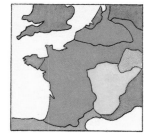

Francs
Wisigoths
Burgondes
royaume de Syagrius
Alamans
Celtes

La loi franque

Une amende *(wergeld)* est la seule sanction pour ceux qui ont commis une faute ou un crime :

 30 sous pour un doigt arraché

 35 sous s'il s'agit de l'index avec lequel on tend l'arc

 30 sous pour une blessure qui met le cerveau à nu

 100 sous pour un œil crevé

PRÉNOMS D'ORIGINE FRANQUE

Robert : *rog*, gloire et *behrt*, illustre
Thibaut : *theud*, peuple et *bald*, hardi
Charles, Caroline, Cédric, Rodolphe…

639-751 : les « rois fainéants », très jeunes rois sans pouvoirs, succèdent au roi Dagobert.

L'empereur Charlemagne

Cavaliers musulmans redoutables, les Sarrasins déferlent sur la France, après la conquête de l'Afrique du Nord et de l'Espagne.

Les descendants de Clovis, les Mérovingiens, se partagent son royaume. Pendant deux siècles, ces rois (dont les rois fainéants) règnent sur la France du Nord, mais abandonnent leur pouvoir aux plus puissants des nobles, les maires du palais. En 732, le maire du palais Charles Martel arrête les Sarrasins près de Poitiers. Ce succès permet à sa famille, les Carolingiens, de détrôner les Mérovingiens.

LE PUISSANT ROI DES FRANCS

Charlemagne (742-814) (Charles le Grand, en latin) est le petit-fils de Charles Martel. Il mène chaque année des expéditions militaires pour agrandir son royaume. En trente ans, il réussit à étendre son pouvoir sur un empire qui va du centre de l'Europe à l'Italie et à l'Espagne.

En l'an 800, le jour de Noël, le pape couronne Charlemagne à Rome.

● **L'empereur à la barbe fleurie...**
Contrairement à la légende, Charlemagne ne portait pas la barbe.

CHARLEMAGNE, EMPEREUR D'OCCIDENT

Charlemagne rêve de rétablir l'ancien Empire romain. Il s'appuie sur l'Église et il convertit au christianisme, souvent par la force, les peuples qu'il soumet. Personnage sacré, ayant, d'après les croyances de l'époque, l'appui de Dieu, il devient le plus puissant des rois chrétiens.

803 : Le calife de l'Empire islamique offre un éléphant à Charlemagne en signe d'amitié.

● **Charlemagne à Aix-la-Chapelle**

Cavalier infatigable, sportif et bon nageur, Charlemagne utilise les sources chaudes d'Aix-la-Chapelle pour la piscine du palais où il se baigne. Avide de savoir, il apprend la grammaire et le calcul. Il s'entraîne à écrire et trace des lettres sur un parchemin. Alcuin, un moine anglais très savant, le conseille.

● **Le développement de l'instruction**

L'empereur encourage l'essor des écoles, réservées jusque-là aux futurs moines. Avec cette politique, les nobles apprennent à lire pour connaître les lois écrites et redécouvrent l'art et la poésie hérités de la Rome antique. C'est ce que l'on appelle la « renaissance » carolingienne.

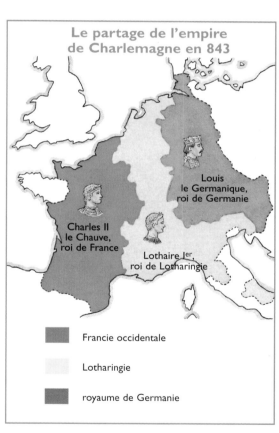

Le partage de l'empire de Charlemagne en 843

Louis le Germanique, roi de Germanie

Charles II le Chauve, roi de France

Lothaire Ier, roi de Lotharingie

Francie occidentale

Lotharingie

royaume de Germanie

UN EMPIRE UNIFIÉ

Charlemagne connaît les langues de son empire : le roman parlé à l'ouest du Rhin, le germanique parlé à l'est et le latin qui est la langue de l'administration. Il nomme à la tête de chaque province un comte ou un évêque. Ses envoyés personnels, les « missi dominici » (envoyés du maître), parcourent l'empire afin que ses lois soient bien appliquées.

LA NAISSANCE DE LA FRANCE

Charlemagne meurt à l'âge de 72 ans. En 843, au traité de Verdun, ses petits-fils divisent son immense empire en trois royaumes. La partie occidentale, la « Francie occidentale », est l'ancêtre du royaume que l'on appellera la France.

Le temps des seigneurs

Charlemagne s'était assuré la fidélité des comtes en leur confiant de vastes domaines. Ses descendants continuent de récompenser leurs proches avec des terres. En moins d'un siècle, l'ancien empire se morcèle ainsi en vastes principautés dirigées par des seigneurs ; certains sont plus puissants que le roi !

LES VIKINGS ENVAHISSENT LA NORMANDIE

Au milieu du IXe siècle, en 855, les pillards vikings remontent la Seine et la Loire sur leurs drakkars. Les Vikings ou Nordmen (hommes du Nord) sèment la terreur. Cinquante ans plus tard, ils se fixent dans la région qui porte leur nom : la Normandie.

● Les blasons

Le bouclier (ou écu) du chevalier porte l'emblème de sa famille ou un symbole qui rappelle son nom à la manière d'un rébus.

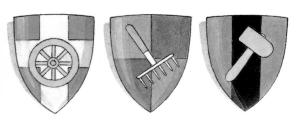

Le comte de Rethel a sur son blason un rateau ; la famille le Roux, une roue ; la famille Mailly, un maillet.

987 : Hugues Capet, premier roi élu de la dynastie des Capétiens.

À genoux devant son « suzerain », le « vassal » place ses mains jointes dans celles de son seigneur.

SEIGNEUR ET VASSAL

Pour être obéi et respecté, chaque seigneur s'attache la fidélité d'hommes de guerre. Ceux-ci lui « prêtent hommage ». Ils échangent une accolade, puis le vassal prête serment de fidélité. En échange, le seigneur lui accorde un domaine, le fief, et fournit aux plus pauvres l'équipement militaire nécessaire à tout chevalier.

● Le prix de la guerre

Au IXᵉ siècle, l'armée repose sur la cavalerie lourde. Seuls les riches propriétaires peuvent acheter épée, casque et cuirasse en cuir bouilli, ainsi qu'un cheval qui vaut le prix de 20 vaches. Le tout représente le prix d'une belle exploitation agricole !

LA SOCIÉTÉ FÉODALE

« Féodal » vient du latin *fides* : confiance, fidélité. La société féodale repose sur des liens d'homme à homme. Elle est en forme de pyramide. Au sommet se trouve le roi, puis les hommes d'Église, les hommes de guerre. Tout en bas, le peuple.

le roi

l'Église
(évêques, moines)

les barons
(seigneurs)
et les chevaliers

les paysans

SEIGNEURS ET PAYSANS

À cause de l'insécurité, les paysans sont contraints d'accepter la protection des hommes de guerre. En échange, ils doivent travailler gratuitement pour le seigneur : c'est la « corvée ». Ils lui versent aussi une partie de la récolte. Autrefois indépendants, les voilà transformés en « serfs », sortes d'esclaves soumis à des maîtres tout-puissants.

L'ÉGLISE CONTRE LA GUERRE

Les guerres, l'insécurité, expliquent que l'on recherche des protecteurs. Les hommes d'Église recueillent les plus faibles, les serfs en fuite. Pour faire reculer la violence, les évêques imposent la « trêve de Dieu ». Celle-ci interdit les combats du jeudi au dimanche. Peu à peu apparaît l'image du chevalier chrétien qui protège la veuve et l'orphelin et met son épée au service de Dieu.

Les paysans paient des redevances pour utiliser le four et le moulin du seigneur.

Peu de paysans sont indépendants. La plupart cultivent une terre, la tenure, donnée par le seigneur contre une partie de la récolte.

Certains paysans, les serfs, sont soumis aux seigneurs comme des esclaves.

Châteaux forts et chevaliers

Au IXᵉ siècle, le château se compose d'une tour de bois bâtie sur une butte de terre, la motte, entourée d'une palissade et d'un fossé. À partir du XIᵉ siècle, le château se transforme en une forteresse de pierre aux murs épais. Il est la demeure du seigneur et le symbole de son pouvoir.

LE CHÂTEAU EST ATTAQUÉ !

Souvent édifiée sur une colline, la forteresse domine les alentours pour avoir toujours l'ennemi en vue. Les villageois viennent trouver refuge dans l'enceinte du château, la famille du seigneur se barricade dans le donjon, les soldats sont à leur poste.

douves,
fossé rem
d'eau

Le trébuchet permet d'envoyer pierres, résine enflammée, mais aussi cadavres en décomposition pouvant propager des maladies.

● **Héros de légendes**
Dans la *Chanson de Roland*, Roland, neveu de Charlemagne, tombe dans une embuscade musulmane à Roncevaux. Mourant, il sonne du cor pour avertir du danger et tente de briser son épée Durandal sur un rocher.
Le rocher se fend, l'épée reste intacte.

DEVENIR CHEVALIER

Le jeune noble, dès l'âge de 7 ans, est envoyé dans une autre famille pour servir le seigneur en tant que page.

Vers l'âge de 13 ans, il devient écuyer. Il monte à cheval, s'entraîne, chasse, combat avec une épée de bois.

Vers 20 ans, lors de la cérémonie de l'adoubement, le jeune noble devient chevalier et reçoit ses armes de son seigneur.

Les réserves en nourriture permettent de tenir un siège de plusieurs semaines.

la basse-cour

Le toit couvert de plomb, de tuiles ou d'ardoise protège des flèches ennemies enflammées.

meurtrière

Mâchicoulis d'où sont envoyés les projectiles.

pont-levis

Spécialiste de la guerre, le chevalier accomplit des prouesses lors de tournois où il défie ses adversaires. Harnaché, son cheval caparaçonné, on le reconnaît à l'armoirie, l'insigne peint sur son bouclier. Le vainqueur se couvre de gloire… et gagne beaucoup d'argent.

● Château-Gaillard

Aux portes de l'Île-de-France, la forteresse de Richard Cœur de Lion, duc de Normandie – mais aussi roi d'Angleterre –, nargue le roi de France. En 1202, Philippe Auguste parvient enfin à s'emparer de Château-Gaillard et récupère ainsi la Normandie.

● Courtoisie

Chanteurs et jongleurs se succèdent dans les fêtes aux châteaux. Au son de la vielle, les troubadours (appelés trouvères dans le nord de la France) racontent les exploits de héros comme Lancelot. Ils parlent aussi d'amour pour les délicates châtelaines. Ces dames organisent autour d'elles des « cours d'amour » où les chevaliers apprennent à se comporter avec courtoisie.

Pas d'assiette, mais des tranches de pain rassis. Pas de fourchette non plus, on mange avec les doigts. Et l'on boit à deux dans un même verre.

879 : Les Vikings attaquent Paris.

Au cœur de l'Europe chrétienne

La plupart des Français du Moyen Âge sont chrétiens. La religion est très présente dans leur vie de tous les jours. Pour défendre leur foi, gagner le paradis et échapper aux punitions de l'enfer, nombreux sont ceux qui partent en pèlerinage ou à la croisade.

LA PRÉSENCE DE LA RELIGION

À la naissance, l'enfant est baptisé. À la fin de sa vie, le mourant reçoit les derniers sacrements. La vie quotidienne est rythmée par la religion. Chaque métier a son saint patron. En respectant ces rites, le croyant espère gagner le paradis après sa mort. Jour et nuit, les cloches sonnent les heures des prières. Le dimanche, les villageois se retrouvent à l'église pour célébrer la messe.

Même les repas obéissent aux règles religieuses ; en souvenir de la mort du Christ, on ne mange de viande ni le vendredi, ni pendant le carême : on mange du poisson.

● Fêtes et coutumes

Le carnaval n'est pas une fête religieuse. Il marque pourtant le début du carême. Tout y est permis, les hommes se déguisent en femmes, les pauvres en riches. *Carne vale* en italien signifie « la viande s'en va » : 40 jours sans viande ni œufs. À Pâques, fête de la résurrection du Christ, les œufs accumulés sont décorés en signe de réjouissance : c'est l'origine des œufs de Pâques.

LA PREMIÈRE CROISADE

En 1078, les Turcs s'emparent de Jérusalem et empêchent les pèlerinages en Terre sainte. En 1095, le pape Urbain prêche la croisade pour aller délivrer le tombeau du Christ. En 1099, une armée de chevaliers menée par Godefroi de Bouillon s'empare de Jérusalem après de furieux combats.

Pèlerinages et monastères

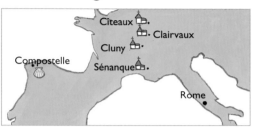

Cîteaux
Clairvaux
Cluny
Compostelle
Sénanque
Rome

LES PÈLERINS

● Le culte des reliques

Un morceau de la robe du Christ, des poils de la barbe de saint Pierre, ces reliques ou restes de saints ont, pour l'homme du Moyen Âge, le pouvoir de guérir ou de pardonner les péchés. Les reliques attirent les pèlerins qui se pressent pour les toucher et obtenir du saint protection et miracle. Vendues fort cher, volées parfois, elles sont conservées dans les églises et les monastères.

Pour obtenir le pardon de leurs fautes, gagner la vie éternelle, de nombreux croyants partent en pèlerinage à Jérusalem, à Rome ou à Saint-Jacques-de-Compostelle en Espagne. En chemin, ils trouvent abri dans les monastères et se regroupent dans des villes-étapes comme Paris, Vézelay, Le Puy ou Conques.

Godefroi de Bouillon passe en revue ses chevaliers avant le départ pour la première croisade.

1096 : Un moine, Pierre l'Ermite, mobilise une armée de « pauvres gens » pour la croisade.

LES MINORITÉS RELIGIEUSES

Épris de grande pureté, les Cathares du Sud-Ouest sont chrétiens mais refusent l'autorité du pape ; réfugiés dans des forteresses imprenables, ils sont malgré tout massacrés.

Peu nombreux, les juifs portent, depuis saint Louis, un signe distinctif sur leurs vêtements ; ils sont persécutés au départ de la croisade. Ennemis du chrétien, les musulmans sont toujours représentés de façon inquiétante.

Progrès du Moyen Âge

Depuis l'époque de Charlemagne, les campagnes vivaient repliées sur elles-mêmes. La population, frappée par la famine, la maladie et la guerre, n'augmentait pas. À la fin du XIe siècle, de nouvelles techniques agricoles amènent l'essor économique.

LES PROGRÈS DES CAMPAGNES

La charrue à soc en fer, autrefois rare et coûteuse, se répand de plus en plus et remplace l'araire en bois pour labourer. Enfin, sur un même champ, on ne cultive plus chaque année la même plante : une année, ce sera du blé, l'année suivante de l'orge, la troisième année, la terre reste en jachère, c'est-à-dire en repos. Grâce à ces progrès, les paysans récoltent assez pour se nourrir.

INVENTIONS DU XIe AU XIVe SIÈCLE

la brouette

les lunettes

le métier à tisser horizontal

l'horloge

l'écluse

le moulin à vent

Les paysans se tournent vers des cultures nouvelles, très rentables : la vigne, les légumes, l'élevage.

● **L'attelage change aussi**
Grâce au collier d'épaule, le cheval peut tirer des charges deux fois plus lourdes.

LES UNIVERSITÉS

Autrefois, on étudiait pour être moine ou prêtre, et l'école était sous le contrôle de l'Église. Au XIIIe siècle, beaucoup veulent faire des études pour devenir avocat, médecin, marchand. Maîtres et étudiants supportent mal, désormais, de dépendre de l'évêque. Ils créent alors l'Université, une corporation, c'est-à-dire un métier indépendant.

À Paris, l'Université est fondée en 1223 par Robert de Sorbon, d'où son nom, la Sorbonne.

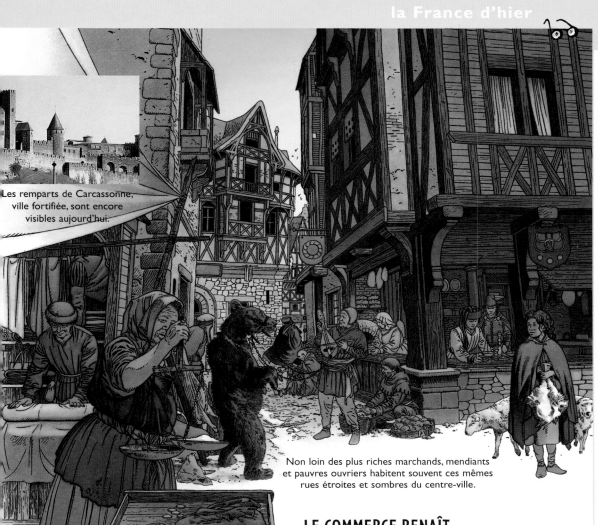

Les remparts de Carcassonne, ville fortifiée, sont encore visibles aujourd'hui.

Non loin des plus riches marchands, mendiants et pauvres ouvriers habitent souvent ces mêmes rues étroites et sombres du centre-ville.

Durant les foires se vendent la laine, le blé, le vin de France, mais aussi les verreries, les soieries, les épices, les parfums d'Orient ou d'Italie.

LE DÉVELOPPEMENT DES VILLES

Enfermées derrière leurs murailles, menacées par les sièges, la famine ou les épidémies, les villes attirent pourtant les paysans qui rêvent d'y faire fortune. Centres de commerce mais aussi d'industrie textile, les cités sont dirigées par des marchands qui veulent rendre leur ville indépendante du roi ou du seigneur et ont payé souvent cher la « franchise », la liberté de leur « commune ».

LE COMMERCE RENAÎT

Pour assurer leur sécurité, les marchands circulent sur les fleuves ou bien à pied, à plusieurs : en caravane. Ces « pieds poudreux » parcourent trente kilomètres par jour dans la poussière des chemins et vont de ville en ville vendre leurs marchandises. Leur rendez-vous le plus important est celui des foires de Champagne.

1214
Philippe Auguste à la bataille de Bouvines.

France romane, France gothique

Bâties en pierre ou en bois, les églises datant de l'époque de Charlemagne ont presque toutes été détruites. Au début du XIe siècle (vers l'an mille), après une longue période de troubles, la paix est rétablie. Pour remercier Dieu, on construit alors partout de nouvelles églises.

le transept

la nef, tournée vers le soleil levant, vers Jérusalem.

LES ÉGLISES ROMANES

Les bâtisseurs du XIe siècle imitent les constructions de l'époque romaine. Leurs églises, appelées romanes, ont un toit de pierre en voûte ronde, en berceau. Elles sont ornées de piliers, de chapiteaux sculptés, et l'intérieur est aussi décoré de fresques peintes sur les murs, de statues couvertes d'or et de pierreries.

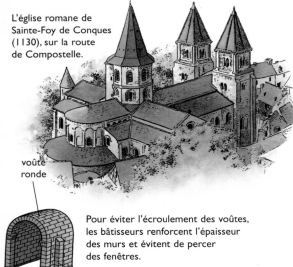

L'église romane de Sainte-Foy de Conques (1130), sur la route de Compostelle.

voûte ronde

contrefort

Pour éviter l'écroulement des voûtes, les bâtisseurs renforcent l'épaisseur des murs et évitent de percer des fenêtres.

● **Une extraordinaire BD de pierre**
Au-dessus du porche, entrée de l'église, le tympan sculpté permet aux paysans qui ne savent pas lire de découvrir les principaux épisodes de la Bible. À Moissac, au centre du tympan, le Christ trône en majesté. À sa droite, les bons sont promis au paradis, à sa gauche, le diable dévore les pécheurs condamnés à l'enfer.

L'ARCHITECTURE GOTHIQUE

Au XIIIe siècle, les architectes découvrent une technique révolutionnaire, la clef de voûte. Celle-ci permet d'élever des églises de plus en plus hautes, en répartissant le poids de la voûte le long des arcs et des piliers.

La cathédrale de Notre-Dame de Paris achevée en 1345

voûte brisée en ogive

arc-boutant

Les arcs-boutants favorisent l'ouverture de plus grandes fenêtres.

LES « RECORDS » DES ÉGLISES GOTHIQUES

La basilique de Saint-Denis est la plus ancienne : elle date de 1140.
La cathédrale de Strasbourg est la plus haute : 142 m. Elle est aussi celle dont la construction a été la plus longue : plus de 250 ans !
La cathédrale d'Amiens est la plus vaste : 145 m de long sur 43 m de large.

DES EMPLACE-MENTS SACRÉS

Souvent bâties sur la tombe d'un saint homme, les églises ont la forme d'une croix.

● **L'art gothique**

Les vitraux ont remplacé les fresques. Ils racontent la vie du Christ, mais aussi la vie quotidienne et les métiers du Moyen Âge.

LES MYSTÈRES

Ces pièces de théâtre à grand spectacle racontent la vie du Christ ou celle des saints. Elles sont données sur le parvis des églises. Le portail sert de décor.

Un mystère dure plusieurs heures. Le public participe bruyamment. Il pleure aux malheurs des innocents, injurie les traîtres, se réjouit de la victoire des bons sur les méchants.

Autour du maître d'œuvre s'activent des centaines d'artisans, tailllleurs de pierre, maçons, sculpteurs et verriers.

LA CONSTRUCTION DES CATHÉDRALES

En ville, les cathédrales sont les plus grandes églises. Leur construction est décidée par l'évêque. Le chantier, dirigé par un architecte, dure des dizaines d'années. Il s'arrête chaque hiver, ou quand l'argent manque.

1270 : Saint Louis meurt devant Tunis. Cette date marque la fin des croisades.

La guerre de Cent Ans

En 1328, le roi de France meurt sans enfant. Son plus proche héritier, Édouard III, roi d'Angleterre est aussi duc d'Aquitaine.

Les nobles français préfèrent couronner un cousin du roi, Philippe de Valois. Écarté du trône, Édouard III reste puissant. Le nouveau roi, Philippe VI, décide de s'emparer de ses terres d'Aquitaine.

En 1337, Édouard III annonce alors qu'il n'a pas renoncé à la couronne de France : c'est le début de la guerre.

En août 1346, a lieu la première grande bataille, à Crécy, en Normandie. Les Français sont équipés d'arbalètes puissantes mais lentes à tirer.

En 1356, le fils de Philippe VI, Jean le Bon, affronte l'armée anglaise à Poitiers. La chevalerie française est écrasée.

Le roi Charles V redresse la situation. Avec l'aide de Bertrand du Guesclin, chef de l'armée, il écrase les « grandes compagnies » de brigands en 1364.

Charles V reprend aux Anglais l'essentiel de leurs conquêtes. Roi en 1380, son fils Charles VI est très tôt frappé de folie.

En février 1429, on annonce au futur Charles VII la venue d'une bergère inspirée par Dieu et décidée à « bouter les Anglais hors de France ».

Le roi s'est caché au milieu des courtisans. Sans le connaître, Jeanne d'Arc s'avance droit vers lui et le convainc de se lancer à la reconquête du royaume.

Les Anglais écrasent la chevalerie française plutôt indisciplinée.

Après sa victoire, Édouard III fait le siège de Calais. La ville se rend au bout d'un an.

Six riches bourgeois de Calais, en chemise et la corde au cou, apportent aux Anglais les clés de leur ville.

Le roi est fait prisonnier. Un tiers du royaume est cédé aux Anglais.

Le pays est épuisé par la peste. À Paris, les bourgeois menés par Étienne Marcel soulèvent le peuple contre les nouveaux impôts.

En Île-de-France, les paysans, appelés les Jacques, pillent les châteaux et massacrent les nobles.

Les grands seigneurs au pouvoir se déchirent alors. Leurs partisans s'opposent en deux camps : les Armagnacs et les Bourguignons.

Les Anglais en profitent. En 1415, ils écrasent l'armée française à Azincourt et contrôlent le nord et l'ouest du pays.

Jeanne d'Arc reprend Orléans, qui était aux mains des Anglais, et fait couronner Charles VII à Reims en juillet 1429.

Emprisonnée par les Anglais, Jeanne est brûlée à Rouen en mai 1431. En 1453, Charles VII finit la reconquête du royaume et reprend l'Aquitaine aux Anglais.

Le temps des grands malheurs

À partir des années 1300 et pendant cent cinquante ans, la France est prise dans un tourbillon de catastrophes, une cascade de malheurs : famines, guerres et épidémies se succèdent.

LE RETOUR DES FAMINES

À cette époque, l'agriculture reste fragile. Un été pluvieux suivi d'un hiver trop froid entraîne mauvaise récolte et hausse des prix. Le prix du pain multiplié par deux ou trois, la famine s'installe à la campagne comme en ville. On meurt de faim, on se nourrit d'herbes, de cadavres d'animaux. La population est très affaiblie, incapable de résister aux maladies comme la grippe ou comme la peste, plus redoutable encore.

la puce porteuse de la peste

les médecins

LA MISÈRE PAYSANNE

« Les paysans de France, écrit un voyageur anglais au XVe siècle, boivent de l'eau, mangent des pommes avec du pain fort brun fait de seigle. Ils ne mangent pas de viande sauf quelquefois un peu de lard ou bien des entrailles et de la tête des bêtes qu'ils tuent pour l'alimentation des nobles... Ils ne portent pas de vêtement de laine... Leurs femmes et leurs enfants vont nu-pieds. »

● Des rues nauséabondes
Les médecins pensent que la peste est due aux ordures entassées dans les rues. Pour se préserver, ils se confectionnent d'étranges masques en forme de bec d'oiseau, remplis de substances odorantes ou de vinaigre.

En quelques mois, l'épidémie de la peste noire tue sans doute près de 5 millions de Français : un tiers de la population !

LA GRANDE PESTE

En 1347, un navire marchand de retour de Crimée aborde en Sicile. Sans le savoir, les marins rapportent avec eux une terrible épidémie, la peste. La maladie transmise par la puce du rat se propage à une vitesse fulgurante. En 1348, tous les pays européens sont touchés. Partout le nombre des victimes est considérable.

● Le temps des peurs

Pour beaucoup, l'épidémie est une punition envoyée par Dieu. C'est pourquoi en temps de peste on fait pénitence. Certains se font fouetter le dos à coup de lanières, ce sont les flagellants. À Paris, à Strasbourg, des mendiants ou des juifs, accusés d'avoir « empoisonné l'air », sont massacrés.

● La mort est partout

La mort est très présente dans la peinture du XIVe siècle. On la représente fauchant les vivants, riches et pauvres.

● Brigands et pillards

La guerre de Cent Ans est entrecoupée de longues périodes de paix. Pendant les moments de trêve, les hommes d'armes se transforment souvent en brigands, car ils n'ont pour seule ressource que le pillage. En 1358, en Île-de-France, beaucoup de villageois transforment leurs églises en citadelles. « Pendant la nuit, des sentinelles étaient chargées de veiller du haut des tours. Des enfants s'y tenaient debout pour avertir de l'approche des ennemis. Du plus loin qu'ils les apercevaient, ils faisaient retentir les cloches. »

1393 : bal costumé tragique à la cour, des torches enflamment les costumes. A-t-on voulu tuer le roi ?

● Hugues Capet (987-996)

La dynastie des Carolingiens s'achève lorsqu'en 987 Hugues Capet, duc d'Île-de-France, est élu roi par les chefs de la noblesse. Premier roi de France, il fonde la dynastie des Capétiens qui règne jusqu'au XIVe siècle.

● Aliénor d'Aquitaine (1122-1204)

Fille du duc d'Aquitaine, Aliénor est mariée à l'âge de quinze ans au roi de France. Quinze ans plus tard, elle divorce. Elle épouse Henri II, roi d'Angleterre, s'en sépare, puis vit au milieu d'une cour d'artistes et de troubadours.

● Abélard (1079-1142)

Abélard, brillant philosophe, épouse Héloïse contre l'avis de sa famille. Blessé par les oncles d'Héloïse, Abélard se retire dans un monastère. Héloïse entre alors au couvent. Tous deux continueront d'échanger des lettres passionnées.

● Philippe Auguste (1180-1223)

Couronné à l'âge de seize ans, il est le premier roi à faire de Paris sa capitale. En Île-de-France, il impose son contrôle à tous les seigneurs. En 1214, il remporte la victoire de Bouvines (près de Lille) contre ses deux ennemis, le roi d'Angleterre et l'empereur d'Allemagne.

● Saint Bernard de Clairvaux (1090-1153)

Jeune chevalier, fou de Dieu, il entre au monastère cistercien de Cîteaux. Il participe à la création de l'ordre des Templiers. Aimant la pureté, il fait bâtir des abbayes très sobres. Il est le conseiller des papes et des princes de son temps.

● Charles V (1364-1380)

Les Anglais contrôlent la moitié du royaume, les paysans révoltés pillent et font régner la terreur. Avec l'aide de Bertrand du Guesclin, Charles V, surnommé « le Sage », reprend aux Anglais de vastes territoires et rétablit l'ordre.

● Louis IX (1226-1270)

Modèle du roi saint et juste, Louis IX rend la justice assis sous son chêne, à Vincennes. À Paris, il fait construire la Sainte-Chapelle. Très chrétien, saint Louis part deux fois en croisade et meurt devant Tunis en 1270.

● Jeanne d'Arc (1412-1431)

Paysanne lorraine, Jeanne dit avoir une mission divine : délivrer le royaume de l'ennemi anglais. À dix-sept ans, elle rencontre le futur Charles VII. Grâce à son aide, il devient roi de France en 1429. Prisonnière des Anglais, accusée d'être une sorcière, Jeanne d'Arc est brûlée vive en 1431.

● Philippe le Bel (1285-1314)

Pour résoudre les problèmes financiers du royaume, le roi crée les premiers impôts. Il cherche à s'emparer du trésor des moines soldats de l'ordre des Templiers. Il les fera accuser de sorcellerie et brûler sur le bûcher en 1314.

● Louis XI (1461-1483)

Louis XI écrase les grands seigneurs, agrandit le royaume et crée une vraie administration. Prêt à tout pour renforcer son pouvoir, il préserve la paix, mais sera plus craint qu'aimé.

La fin du Moyen Âge

A vec la fin de la guerre de Cent Ans, de nombreux villages désertés se repeuplent, les terres abandonnées sont à nouveau cultivées. Les échanges commerciaux reprennent.

L'ÉCONOMIE REPART

La guerre a permis le développement des armes à feu. Leur production entraîne l'essor des mines et de la métallurgie. L'industrie textile se met à produire des étoffes précieuses, comme la soie à Lyon. Les foires de Caen et de Rouen se développent. Les ports se lancent dans le grand commerce internationnal.

● Le portrait de Louis XI

« Le roi, écrit le chroniqueur Thomas Basin, avait les cuisses et les jambes très maigres et son visage n'avait rien qui l'embellît. Si quelqu'un ne le connaissant pas l'avait rencontré, il l'aurait pris pour un bouffon, un ivrogne, ou pour un homme de basse condition... Il n'aimait pas les vêtements précieux, mais il se revêtait le plus souvent d'un manteau d'étoffe grossière et fort écourté. »

● La fin d'un duc tout-puissant

Pour anéantir Charles le Téméraire, Louis XI utilise tour à tour la ruse, la diplomatie, la force. En 1477, Charles le Téméraire meurt en assiégeant Nancy. Son corps est retrouvé à moitié dévoré par les loups.

L'imprimerie, mise au point en 1455 par l'Allemand Gutenberg permet, grâce à des caractères mobiles en métal, d'imprimer des livres moins rares et moins chers.

LA LUTTE CONTRE LE TÉMÉRAIRE

Fils de Charles VII, Louis XI règne de 1461 à 1483. Dès le début de son règne, il fait face à une révolte des grands seigneurs. Le plus redoutable est Charles le Téméraire, duc de Bourgogne. Prince très cultivé et courageux, le Téméraire gouverne un immense État qui comprend la Belgique au nord, la Bourgogne au sud. Après avoir vaincu Charles le Téméraire, Louis XI obtient l'obéissance des seigneurs. Le royaume s'agrandit.

LA FRANCE DE LOUIS XI

Louis XI crée un État moderne, une administration spécialisée et centralisée. Impitoyable avec ses ennemis qu'il fait, dit-on, enfermer dans des cages de fer, Louis XI se méfie des nobles. Il s'appuie sur

Pour faire connaître partout ses décisions, le roi crée la poste.

les bourgeois et favorise le commerce et l'industrie. Il prend enfin l'habitude de consulter les Français en réunissant leurs représentants en états généraux.

● **Patois et français**

Après la mort de Louis XI, son fils Charles VIII rattache la Bretagne au royaume. La France a alors presque les mêmes frontières qu'aujourd'hui et se transforme en État unifié. On y parle des dizaines de patois, mais le français se répand comme langue officielle. Peu à peu, le sentiment patriotique commence à apparaître.

1491
Charles VIII épouse Anne de Bretagne.

NOUVEAUTÉS DU XVᵉ SIÈCLE

le gouvernail d'étambot

le verre aux fenêtres remplace la toile huilée

la boussole

le canon, emprunté aux Arabes

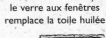

la mode des épices, des aromates venus d'Arabie

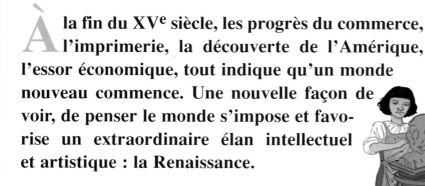

À la fin du XVe siècle, les progrès du commerce, l'imprimerie, la découverte de l'Amérique, l'essor économique, tout indique qu'un monde nouveau commence. Une nouvelle façon de voir, de penser le monde s'impose et favorise un extraordinaire élan intellectuel et artistique : la Renaissance.

L'ITALIE, BERCEAU DE LA RENAISSANCE

Alors que la France est déchirée par la guerre de Cent Ans, l'Italie est au XVe siècle le centre intellectuel et artistique de l'Europe. À Rome, Venise, Florence ou Milan, les grands seigneurs (comme les Médicis à Florence) mais aussi les plus riches marchands se passionnent pour les arts, encouragent et protègent les artistes.

LE GOÛT POUR L'ANTIQUITÉ

Le Moyen Âge connaissait l'Antiquité, mais personne n'osait imiter un art antique jugé parfait. À la Renaissance, les artistes redécouvrent cet art grec et romain qui représente l'homme et non Dieu seul.

Léonard de Vinci dans son atelier, avec ses élèves

Les statues autrefois religieuses illustrent maintenant d'autres thèmes, la mythologie, le spectacle de la nature.

Sans chercher à copier l'art antique, sculpteurs et architectes s'en inspirent. Ils reprennent les voûtes et les coupoles romaines.

LE RENOUVEAU INTELLECTUEL

Après la prise de Constantinople par les Turcs, en 1453, les savants grecs se réfugient en Italie. Ils y apportent de précieux manuscrits hérités de l'Antiquité grecque qui provoquent un grand mouvement de curiosité intellectuelle. Jusque-là, la pensée antique n'était connue que par la tradition ou des copies souvent remplies de fautes. Les originaux sont maintenant disponibles, prêts à être imprimés et diffusés. Ils vont nourrir l'immense appétit de savoir des hommes de l'époque.

LES HUMANISTES

Au Moyen Âge, le savoir tendait vers l'étude des questions religieuses. À la Renaissance, les savants placent l'Homme au centre de leurs préoccupations, ce qui leur vaut le nom d'humanistes. Même s'ils croient en Dieu, les humanistes pensent que l'homme peut tout expliquer. Ces explorateurs du savoir sont à la fois ingénieur, peintre et mathématicien comme Léonard de Vinci, sculpteur et peintre comme Michel-Ange, médecin et écrivain comme le Français Rabelais.

FACE À L'ÉGLISE

Dans de nombreux domaines, les humanistes bravent les interdictions posées par la religion.
Le physicien polonais Copernic prouve en 1453 que la Terre tourne autour du Soleil et non le contraire.

Les médecins, comme Ambroise Paré, dissèquent les cadavres pour étudier l'intérieur du corps humain.

L'ÉDUCATION HUMANISTE

Dans l'histoire du géant Gargantua, Rabelais se moque de l'enseignement du Moyen Âge qui consistait, dit-il, à apprendre par cœur à l'endroit, puis à l'envers, d'obscurs traités en latin. Pour les humanistes, l'enseignement doit se faire dans la langue de tous les jours, associer les lettres et les sciences, s'appuyer sur l'étude des livres, mais aussi sur celle de la nature.

● Les voyageurs du savoir

Italiens, Français, Allemands ou Hollandais, comme Érasme, les humanistes disent appartenir à la république des lettres. Ils voyagent d'un pays à l'autre, d'une université à l'autre, et répondent aussi à l'appel des princes qui les invitent.
À la fin du XVe siècle, les Italiens servent ainsi de modèles aux savants du reste de l'Europe.

1492 : Le navigateur italien Christophe Colomb découvre un nouveau monde : l'Amérique.

François Ier

Dès la fin du XVᵉ siècle, les rois de France se lancent à la conquête de l'Italie. Charles VIII, puis Louis XII et François Iᵉʳ y découvrent des villes magnifiques. Ils reviennent en France et décident d'imiter les cours princières italiennes.

FRANÇOIS Iᵉʳ, PROTECTEUR DES ARTS

La splendeur des palais italiens a fasciné François Iᵉʳ. Il décide d'attirer en France les artistes de la Renaissance italienne. Il invite sans succès Michel-Ange. Léonard de Vinci vient en France, au Clos-Lucé, mais il meurt trois ans après son arrivée. Le peintre Le Primatice accepte de décorer le château de Fontainebleau.

ÉCHEC EN ITALIE

À l'extérieur, la politique étrangère rencontre de nombreux échecs. En Italie, après la victoire de Marignan, en 1515, François Iᵉʳ est battu et fait prisonnier à Pavie en 1525. Il y aurait déclaré : « Tout est perdu fors (sauf) l'honneur. » Il s'oppose surtout sans succès à l'empereur Charles Quint, qui règne alors sur l'Espagne et l'Autriche.

Sur le modèle des artistes italiens, l'architecte Pierre Lescot transforme le vieux Louvre. Le sculpteur et architecte Jean Goujon multiplie les statues imitées de l'Antiquité.

À Chambord, l'ancien château fort est transformé. Il s'orne d'une multitude de lucarnes, de tourelles et d'un escalier majestueux.

1497 : Le navigateur Jacques Cartier prend possession du Canada au nom de François Iᵉʳ.

FRANÇOIS Ier ET L'ÉTAT

Prince aimable et cultivé, François Ier cherche à renforcer et moderniser l'État. Il consolide l'administration et impose en 1539, par l'ordonnance de Villers-Cotterêts, le français comme langue officielle. À l'égard des protestants, sa politique est moins claire : d'abord favorable à leur Réforme, le roi décide finalement de les persécuter.

● La Renaissance des Lettres

Pour redécouvrir l'Antiquité, François Ier crée le Collège de France en 1530. Guillaume Budé y développe l'étude des langues anciennes : le latin, l'hébreu et surtout le grec. Autour du roi, les poètes comme Clément Marot, Ronsard, Joachim du Bellay ou Louise Labé écrivent des poèmes à la mode italienne parlant de la nature et de l'amour.

● Châteaux de la Loire

Depuis Charles VIII, les rois de France séjournent dans la vallée de la Loire au climat doux. Ils y construisent des châteaux à la mode italienne. L'intérieur devient somptueux, orné de tapisseries, de boiseries ou de fresques.

À Chenonceaux, le château de l'architecte Philibert de l'Orme enjambe audacieusement la rivière du Cher.

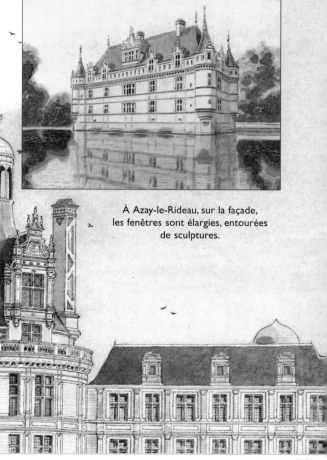

À Azay-le-Rideau, sur la façade, les fenêtres sont élargies, entourées de sculptures.

Les guerres de religion

À partir de 1562, le conflit entre catholiques et protestants se transforme en une véritable guerre qui divise le royaume pendant plus de trente ans.

UNE ÉGLISE À RÉFORMER

Au XVIe siècle, dans les campagnes, les prêtres sont souvent peu instruits. En ville, les évêques vivent en grands seigneurs. Déjà très riche, l'Église trouve une nouvelle source de revenus en vendant des indulgences qui permettent à leurs acheteurs de gagner le paradis après leur mort. Ces indulgences scandalisent de nombreux chrétiens avides de retrouver une religion plus conforme à l'Évangile.

LE ROI ET LA RELIGION

Roi par la grâce de Dieu, le roi de France est aussi chef de l'Église de France. Il veut imposer à tous une seule religion. François Ier condamne ainsi le protestantisme. En 1546, le libraire Étienne Dolet est brûlé pour avoir imprimé des livres protestants.

Étienne Dolet mené au bûcher

temple calviniste à Lyon

MARTIN LUTHER ET JEAN CALVIN

En 1517, l'Allemand Luther et le Français Calvin proposent une réforme du christianisme. Ils veulent une religion plus personnelle fondée sur la lecture de la Bible. Ils critiquent l'autorité du pape, la vente des indulgences. Leurs idées, condamnées par l'Église, se répandent pourtant dans toute l'Europe. Leurs partisans, les réformés, plus tard appelés protestants, sont aussitôt persécutés.

● La Réforme catholique

Face au protestantisme, l'Église réagit en créant de nouveaux ordres religieux comme les Jésuites, des écoles, pour former une élite chrétienne. Les églises construites alors sont chargées de dorures, de sculptures pour glorifier Dieu. Cet art baroque s'oppose aux temples protestants austères et dépouillés.

LES GUERRES DE RELIGION

Des écrivains comme Rabelais, une partie de la noblesse, des bourgeois, des artisans, des régions entières deviennent protestants. Les grands seigneurs catholiques reprochent à la reine Catherine de Médicis d'être trop tolérante envers les protestants. Dans la nuit de la Saint-Barthélemy, le 23 août 1572, Charles IX autorise un terrible massacre. Quatre mille protestants sont assassinés à Paris, leurs corps jetés à la Seine. De semblables massacres se produisent dans toute la France.

● Le rôle de l'imprimerie

Au XVIe siècle, la production de livres est multipliée par dix. Le livre le plus vendu est la bible. Les enfants y apprennent à lire, les parents y découvrent les textes sacrés que seuls les prêtres pouvaient jusque-là expliquer. Le livre permet à chacun de réfléchir et de choisir sa propre religion.

Henri IV signe l'édit de Nantes

LA PAIX

Pendant trente ans, la guerre religieuse coupe la France en deux. En 1598, le roi Henri IV, protestant converti au catholicisme, signe l'édit de Nantes qui autorise la religion réformée. Dans un pays épuisé, catholiques et protestants peuvent enfin vivre en paix.

1560-1574
Charles IX

1574-1589
Henri III

la nuit de la Saint-Barthélemy

La marche vers un État fort

Depuis le Moyen Âge, le roi de France est roi par la grâce de Dieu. Il est sacré dans la cathédrale de Reims. À partir du XVIIᵉ siècle, le pouvoir royal se renforce. Le roi gouverne seul et a tous pouvoirs. C'est la monarchie absolue.

HENRI IV, UN ROI TRÈS POPULAIRE

Après les guerres de religion, Henri IV et son ministre Sully entreprennent de redresser l'économie, en commençant par l'agriculture : « Labourage et pâturage sont, dit Henri IV, les deux mamelles de la France. » Il rétablit l'autorité royale mais, en 1610, il est assassiné par Ravaillac, un moine exalté.

LOUIS XIII, UN ROI FACE AUX NOBLES

Louis XIII a neuf ans quand son père meurt. Sa mère, Marie de Médicis, n'arrive pas à s'opposer aux grands seigneurs. En 1614, pour parvenir à lever des impôts, elle convoque sans succès une assemblée extraordinaire, les États généraux, composée de délégués du clergé, de la noblesse et du tiers état (qui regroupe bourgeois, paysans et artisans). Aucun roi ne convoquera plus cette assemblée avant 1789.

Les protestants de La Rochelle se rendent après une résistance d'un an.

Premier ministre du roi Louis XIII de 1624 à 1642, Richelieu fait de la France un État fort. Sa première tâche est de supprimer les forteresses protestantes comme La Rochelle. Richelieu lutte aussi contre les grands seigneurs, interdit les duels meurtriers et punit les complots de la noblesse. Pour lever une armée puissante, il multiplie les impôts.

LOIS ET LANGUES

Au Moyen Âge, dans les dialectes du nord de la France, « oui » se disait « oïl ». Au sud, on disait « oc ».

Après François Ier, le français est, pour tous, la langue officielle, la langue de l'État. En fait, peu de gens le parlent correctement. Au nord de la Loire, la langue d'oïl comporte une multitude de patois, comme le picard. Au sud, la langue d'oc se divise en provençal et occitan. Aux frontières, Basques, Alsaciens parlent aussi leur langue. Aux langues différentes s'ajoutent les coutumes et les lois, elles aussi différentes d'une région à l'autre.

● La révolte des croquants

Loin de Paris, on n'obéit pas toujours aux agents du roi. Les impôts nouveaux provoquent le soulèvement de paysans qui massacrent les collecteurs. La plus célèbre de ces révoltes est celle des Lustucru, paysans du Nord, en 1641. Richelieu envoie l'armée écraser ces révoltes et imposer l'obéissance aux provinces.

LA FRONDE

Lorsque Louis XIII meurt en 1643, son fils Louis XIV a cinq ans. La reine Anne d'Autriche gouverne avec son Premier ministre, le cardinal Mazarin. Il reprend la politique de fermeté de Richelieu et augmente les impôts. En 1648, le mécontentement grandit. Tour à tour les magistrats, les grands seigneurs, les paysans se révoltent. C'est la Fronde. Après quatre ans de guerre, d'épidémie et de mauvaises récoltes, Mazarin parvient à rétablir l'ordre.

Le petit Louis XIV, chassé de Paris par l'émeute, dort au château de Saint-Germain sur une botte de foin.

● L'esprit des magistrats

Les magistrats appliquent les décisions royales mais les critiquent souvent. Ils sont aussi méfiants à l'égard des superstitions. Ainsi, en période de famine, les villageois s'en prennent aux « jeteurs de sort ». La loi les condamne à être brûlés. À partir de 1650, les magistrats les relâchent souvent. La dernière sorcière brûlée monte sur le bûcher en 1683.

1610 : Le roi Henri IV est poignardé dans son carrosse par Ravaillac.

63

Louis XIV, le Roi-Soleil

À sa mort en 1661, le cardinal Mazarin laisse à son filleul, le futur Louis XIV, une France épuisée mais remise en ordre. À la surprise générale, ce jeune roi de 23 ans annonce qu'il gouvernera seul, en maître absolu. « L'État, c'est moi », affirme-t-il.

54 ANS DE RÈGNE ABSOLU

Méfiant à l'égard de la noblesse et des puissants, le roi fait arrêter Fouquet, surintendant (ministre) des finances. En province, les intendants représentent le roi. Peu nombreux, ils sont aidés par l'armée. Celle-ci écrase l'agitation de paysans révoltés par des impôts de plus en plus lourds. L'obéissance obtenue, le roi choisit alors le soleil pour emblème. Son règne est le plus long de notre histoire.

LA COUR

Les nobles étaient autrefois proches du roi, parfois même familiers. Louis XIV impose une « étiquette », barrière infranchissable entre lui et ses courtisans. Chaque moment de sa vie devient spectacle. Le roi accorde comme une récompense le droit d'assister à son lever, à son repas, de lui passer sa chemise ou son pot de chambre...

L'ESSOR ÉCONOMIQUE

Le roi rêve d'une France riche. Pour cela, il encourage avec Colbert la création d'entreprises d'État, comme la manufacture des Gobelins pour les tapisseries, celle de Saint-Gobain pour les miroirs ou celle de Saint-Étienne pour les armes.

● **Le métier de roi**

Louis XIV s'impose de longues heures de travail chaque jour. Il décide des lois, prend seul les décisions. Le roi s'appuie sur ses ministres, Louvois, Colbert, mais joue de leurs rivalités.

le lever du roi

Les arts

Louis XIV s'entoure d'écrivains comme Racine, de musiciens comme Lully, d'architectes comme Le Vau, de peintres comme Le Brun. Le roi impose ses goûts mais protège les artistes critiqués comme Molière. En échange, tous célèbrent la gloire du Roi-Soleil.

● Le château de Versailles

Depuis la Fronde, Louis XIV n'aime pas Paris. Il décide de transformer le pavillon de chasse de Versailles en palais. Pendant vingt ans, le chantier dirigé par Mansart est sans cesse réaménagé. En 1682, la Cour s'y installe. Ce château inconfortable, sans chauffage ni toilettes, est pourtant un magnifique palais. Il sera admiré et imité dans toute l'Europe.

le château de Versailles vu des jardins

LA LUTTE CONTRE LES PROTESTANTS

Épris de grandeur, Louis XIV se lance dans des guerres qui unissent contre lui toute l'Europe. Opposé à l'Angleterre et aux Pays-Bas, tous deux protestants, le roi interdit le protestantisme en France. Il abolit l'édit de Nantes en 1685. Convertis de force, condamnés aux galères, 300 000 protestants fuient le royaume.

● Une France épuisée mais prospère

Guerres, persécutions, retour des famines provoquent partout le mécontentement. En 1715, à la mort du roi, la France est la première puissance européenne, mais le pays est épuisé.

1680 : Louis XIV crée la Comédie Française, la « maison de Molière ».

La France au XVIIIe siècle

Montesquieu
(1689-1755)

À partir de 1720, les grandes épidémies (comme la peste) et les famines disparaissent. Avec 25 millions d'habitants en 1780, la France est alors le pays le plus peuplé d'Europe.

DES PROGRÈS DANS LES CAMPAGNES

Le bétail, mieux nourri grâce aux plantes fourragères comme la luzerne ou le trèfle, donne plus de viande. La jachère (terre inexploitée) recule, le rendement de la terre augmente et les nouvelles cultures (maïs, navet, pomme de terre) permettent une alimentation plus variée.

● Les bourgeois conquérants

Les plus fortunés des négociants mènent la même vie que les nobles. Aussi riches qu'eux, beaucoup rêvent de s'anoblir un jour en achetant un titre. Louis XVI réserve les plus hautes charges de l'État aux vieilles familles nobles. L'ascension politique de la bourgeoisie est bloquée.

● Le commerce triangulaire

Partant de Saint-Malo, de Nantes ou de Bordeaux, les navires gagnent l'Afrique pour y acheter des esclaves noirs contre de l'alcool ou des marchandises sans valeur. Transportés enchaînés dans de terribles conditions, ces esclaves sont vendus comme main-d'œuvre pour les plantations des Antilles. La vente des esclaves permet aux propriétaires des navires négriers d'acheter du sucre, du cacao, du café, du tabac. De retour en France, ces nouvelles marchandises sont vendues très cher.

Voltaire
(1694-1778)

Diderot
(1713-1784)

Rousseau
(1712-1778)

LES IDÉES NEUVES

Dirigée par Diderot, l'*Encyclopédie* paraît dès 1751. Elle présente toutes les connaissances de l'époque, mais aussi les idées nouvelles de philosophes comme Montesquieu, Voltaire, Rousseau.

● **Découvertes**

Les gens se passionnent pour les sciences ainsi que pour la découverte de nouveaux mondes. À la fin du siècle, La Pérouse, Bougainville, de grands explorateurs, découvrent les îles du Pacifique.

● **À la conquête des airs !**

En 1783, les frères Montgolfier, fabricants de papier à Annonay, sont les premiers à faire monter dans le ciel un globe de toile gonflé à l'air chaud.

INVENTIONS

XVIIe siècle : le baromètre, le thermomètre, la lunette astronomique.

XVIIIe siècle : le chronomètre, la vaccination, l'automate joueur d'échecs, la machine à vapeur, le métier à tisser mécanique, les W.-C. à chasse d'eau.

LA BOURGEOISIE S'ENRICHIT

Marchands, négociants, banquiers jouent un rôle essentiel dans l'économie du pays. Ils développent l'industrie nouvelle du coton, exploitent les mines de fer et de charbon, et se lancent dans le commerce avec les Antilles ou l'Amérique.

La mode des cafés se répand. Le premier ouvre à Marseille en 1654. À Paris, le café *Le Procope* date de 1684.

1768 : les Gênois vendent la Corse à la France. Napoléon Bonaparte y naîtra un an plus tard.

La France face au roi

Louis XVI
et Marie-Antoinette

En 1785, la France entre dans une crise économique. Jamais les critiques contre l'administration royale ou les privilèges de la noblesse et du clergé n'ont été aussi fortes.

● La montée du mécontentement

Les années 1780 voient le retour des mauvaises récoltes et la misère reparaît après des années de prospérité. Au même moment, les seigneurs imposent à leurs paysans des droits seigneuriaux oubliés de tous. Les nouveaux impôts que le roi cherche à lever font éclater le mécontentement.

● 5 mai 1789, les États généraux

Depuis 1787, le trésor royal est vide.
Les magistrats des parlements s'opposent aux nouveaux impôts et réclament des réformes.
Louis XVI cède et décide de réunir, en mai 1789, à Versailles, des États généraux composés de députés de tout le pays. Pour préparer la réunion, les Français écrivent leurs sujets de mécontentement dans des cahiers de doléances.

● 14 juillet, la prise de la Bastille

Artisans et boutiquiers ferment leurs commerces et prennent les armes. Le 14 juillet, la foule cerne la grande prison de la Bastille, symbole des arrestations injustes. Des coups de feu éclatent. Les Parisiens s'emparent de la forteresse et massacrent son gouverneur. Cette fois, c'est la révolution ! Le 16 juillet, le roi fait machine arrière. Il vient à Paris et porte la cocarde bleu blanc rouge, emblème des Parisiens révoltés.

● Fin juillet, la Grande Peur

En province, l'administration s'effondre.
En ville, les bourgeois prennent le pouvoir.
Dans les campagnes, des rumeurs inquiétantes circulent. Les nobles, dit-on, veulent affamer le peuple.
Les paysans furieux brûlent les châteaux et massacrent des seigneurs.
Cette révolte paysanne, la Grande Peur, accélère la Révolution.

LIBERTÉ ÉGALITÉ FRATERNITÉ

● Le serment du Jeu de Paume

Le 5 mai 1789, dès la réunion des États généraux, les députés du tiers état comprennent que le roi ne veut pas limiter les privilèges. Ils se proclament Assemblée nationale et se préparent à voter seuls les réformes. Le 20 juin, empêchés de se réunir, ils trouvent refuge dans la salle du Jeu de Paume. Là, ils jurent de ne pas se séparer avant d'avoir transformé la France.

● L'agitation parisienne

Début juillet, à Paris, les artisans souffrent de la vie chère. Au Palais-Royal, des journalistes, comme Camille Desmoulins, parlent de réforme et de liberté. Le 10 juillet, on apprend que le roi a renvoyé Necker, ministre favorable aux réformes. Louis XVI fait venir des soldats autour de Paris. La nouvelle met le feu aux poudres !

● Les droits de l'homme

Le 27 août est proclamée la Déclaration des droits de l'homme et du citoyen. Désormais, les hommes sont libres et égaux à la naissance. L'Ancien Régime s'effondre.

● La nuit du 4 août

La révolte paysanne a inquiété la noblesse et le clergé. Leurs députés préfèrent renoncer à certains privilèges. Dans la nuit du 4 août, l'Assemblée enthousiaste vote l'abolition des privilèges. Les droits seigneuriaux sont supprimés.

La Révolution en marche

Les réformes de la Révolution sont accueillies avec enthousiasme par les Français. Mais, dès 1791, modérés et révolutionnaires s'affrontent. À l'extérieur, la Révolution inquiète les rois et la noblesse européenne.

LES NOUVELLES LIBERTÉS

Dès l'été 1789, les journaux, autrefois surveillés, se multiplient librement. Dans les villages, on plante des arbres de la liberté. En ville naissent des clubs révolutionnaires. À l'Assemblée, les députés se placent selon leurs opinions : à droite, ceux qui veulent revenir à l'Ancien Régime, à gauche, ceux qui veulent poursuivre les réformes. Dès ce moment, on parle de la « droite » ou de la « gauche » pour désigner des partis politiques.

LES PREMIÈRES RÉFORMES

En moins d'un an, les députés donnent à la France un ensemble de lois (une constitution) limitant les pouvoirs du roi. L'administration est simplifiée et rendue plus juste. La loi, la justice, les impôts sont désormais les mêmes pour tous.

La France est divisée en 83 départements. Le système des poids et des mesures est unifié : désormais, le système métrique est imposé partout.

Toutes les religions sont autorisées.

Les Français élisent leurs députés, mais seuls ceux qui paient l'impôt peuvent voter.

● **14 juillet 1790,
la fête de la Fédération**

Louis XVI jure de poursuivre
les réformes. Beaucoup
de nobles hostiles
à la Révolution quittent
le pays pour l'étranger.

● **21 juin 1791,
la fuite du roi**

Louis XVI, à son tour, tente
de s'enfuir vers l'Autriche.
Reconnu et arrêté à Varennes,
le roi est ramené à Paris.
Il a désormais perdu
la confiance des Français.

● **Avril 1792,
la guerre à l'Europe**

Pour lutter contre les nobles
émigrés protégés par l'empereur
d'Autriche, les députés déclarent
la guerre à l'Autriche en avril
1792. Louis XVI espère
en secret une victoire de
l'Autriche qui lui permettrait
de rétablir l'Ancien Régime.

● **Été 1792,
la patrie en danger**

En juillet 1792, les armées
autrichiennes et prussiennes
franchissent les frontières
françaises. L'Assemblée proclame
la patrie en danger. Le 10 août
1792, les parisiens, soupçonnant
Louis XVI de trahison, prennent
les armes et arrêtent le roi.
Louis XVI et sa famille sont
enfermés à la Conciergerie.
Des milliers de suspects
sont emprisonnés.

● **Septembre 1792,
la République**

Les 4 et 5 septembre, les soldats
qui partent au front massacrent
sans procès les suspects emprisonnés. Le 20 septembre,
à Valmy, commandés par
Kellermann, les soldats de la
Révolution, chaussés de sabots,
font face aux meilleures troupes
d'Europe. L'invasion est repoussée. À Paris, le 22 septembre,
la nouvelle assemblée, la Convention, proclame la République.

● **Janvier 1793, Louis XVI guillotiné**

Les lettres de Louis XVI à l'empereur d'Autriche
prouvent que le roi était hostile à la Révolution.
En janvier, les députés jugent Louis XVI coupable,
le condamnent à mort. Il est exécuté
le 21 janvier.

De la Terreur au Directoire

À partir de 1793, la Révolution se transforme en une violente guerre civile opposant les Français entre eux.

● Les sans-culottes

Artisans et boutiquiers parisiens, révolutionnaires acharnés, ils réclament la guillotine pour le roi, les prêtres et tous les nobles.
Ils portent un pantalon (et non la culotte qui s'arrête aux genoux et des bas de soie comme les nobles). Chaussés de sabots, coiffés d'un bonnet rouge, les sans-culottes se tutoient, ne se disent plus « Bonjour monsieur » comme autrefois, mais « Salut et Fraternité, citoyen ! ».

MONTAGNARDS ET GIRONDINS

Les Montagnards, comme Danton et Robespierre, siègent en haut de l'Assemblée, à la « montagne » ; ils veulent une dictature révolutionnaire s'appuyant sur le peuple. Autour des députés de la Gironde, le parti des Girondins refuse ce gouvernement autoritaire. En octobre 1793, les Montagnards font exécuter les Girondins.

Allons enfants de la patrie,
le jour de gloire est arrivé.
Contre nous de la tyrannie,
l'étendard sanglant est levé.
Aux armes citoyens !
Formez vos bataillons, Marchons, marchons,
Qu'un sang impur abreuve nos sillons.

● La Marseillaise
En 1792, tous les soldats chantent l'hymne révolutionnaire composé par Rouget de Lisle.

Marie-Antoinette
Reine peu aimée du peuple, surnommée l'Autrichienne.

Lavoisier
Savant. Devant le bourreau, il écrit encore des équations.

Fouquier-Tinville
L'impitoyable juge révolutionnaire.

● Calendrier révolutionnaire
En septembre 1792, les députés datent les actes officiels de l'an I de la République. La devise de la République est « Liberté, égalité, fraternité ». L'année révolutionnaire commence en septembre. Le poète Fabre d'Églantine invente un nouveau calendrier : vendémiaire, brumaire, frimaire, nivôse, ventôse, pluviôse, germinal, floréal, prairial, messidor, thermidor, fructidor.

ÉTÉ 1793, LA RÉVOLUTION ENCERCLÉE

En 1793, la République est assiégée de partout. Toutes les provinces se soulèvent. Dans l'ouest, en Vendée et en Bretagne, les paysans se révoltent et mettent à la tête de leurs troupes des nobles royalistes. Les villes opposées à la Révolution sont débaptisées par la Convention : Grenoble devient Grelibre.

● **Victimes de la Révolution**
La Révolution a peut-être fait
40 000 morts. En majorité
des paysans vendéens, des soldats,
des gens du peuple, mais aussi
des nobles, des prêtres,
des révolutionnaires.

Robespierre
Le père de la Terreur.

Danton
Ami de Robespierre
mais opposé
aux violences
de la Terreur.

Charlotte Corday
Héroïne royaliste,
assassine Marat
dans son bain.

Madame Roland
Femme de ministre
et brillante conseillère
des Girondins.

Desmoulins
Ami de Danton.
Envoyé à l'échafaud
avec lui.

Marat
Journaliste.
Héros des sans-culottes,
surnommé l'ami du peuple.

● **Les conquêtes
révolutionnaires**
En 1793, les soldats
de la Révolution,
menés par de jeunes
généraux, repoussent
les ennemis (les
armées levées par la
noblesse européenne).
En 1794, ils entrent
en Belgique, Hollande,
Allemagne et Italie.
Dans ces pays,
les armées révolution-
naires abolissent
la royauté, les droits
seigneuriaux et
établissent des
républiques sur
le modèle de
la République
française.

1794-1799, LA RÉVOLUTION MODÉRÉE

Après la Terreur, la France reste
agitée par la guerre civile.
Partisans de l'Ancien Régime et
de la Révolution s'affrontent.
En 1795, les députés modérés forment un nouveau gouvernement :
le Directoire. Incapables de
maintenir l'ordre, ils laissent
de plus en plus de pouvoir
aux chefs militaires.

SEPTEMBRE 1793, LA TERREUR

Pour sauver la Révolution, Robespierre
impose la Terreur. Les Vendéens sont
massacrés. Les suspects sont condamnés
par milliers à la guillotine. Au printemps
1794, Robespierre, crai-
gnant un complot, fait
exécuter ses propres
amis, comme Danton.
En juillet 1794, les
modérés font guilloti-
ner Robespierre.
La Terreur prend fin.

l'arrestation
de Robespierre

Napoléon

Napoléon Bonaparte est né en Corse. Il a vingt ans en 1789. Jeune officier, il accueille avec enthousiasme les idées de la Révolution. Les guerres révolutionnaires lui permettent une carrière fulgurante.

● La prospérité retrouvée

Bonaparte rassure les propriétaires. Ceux qui ont profité de la Révolution pour acheter des terres, appartenant à l'Église ou à des nobles émigrés, pourront les garder. Bonaparte crée la Banque de France en 1800. L'économie redémarre.

LE COUP D'ÉTAT

À 25 ans, Bonaparte est général. Envoyé en Italie, il vole de victoire en victoire, mais tente sans succès la conquête de l'Égypte. Très ambitieux, il profite de la faiblesse du gouvernement du Directoire : le 18 brumaire An VIII (9 novembre 1799), il prend le pouvoir par un coup d'État militaire.

En 1803 est créé le franc germinal qui vaut 5 g d'argent. Cette monnaie très stable durera jusqu'en 1914.

● Un pouvoir fort

Bonaparte crée une administration très centralisée : toutes les décisions sont prises à Paris. En province, les préfets représentent le gouvernement et ont tous les pouvoirs. Bonaparte fait réviser et écrire toutes les lois dans deux grands codes. Le Code civil réglemente la vie en société, le Code pénal fixe les punitions pour les crimes et les délits.

LE CONSULAT

Bonaparte dirige d'abord le pays avec deux autres consuls puis, dès 1802, il gouverne seul et devient consul à vie. Avec le Consulat, la Révolution se termine. Bonaparte maintient les grandes réformes de 1789 et refuse le retour à l'Ancien Régime. Pour rétablir l'ordre dans le pays, il gouverne de façon très autoritaire. Les opposants royalistes ou révolutionnaires sont arrêtés, les journaux censurés.

L'EMPEREUR

Comme Alexandre, César ou Auguste, grands conquérants de l'Antiquité, Bonaparte rêve de devenir empereur. Mais il cherche aussi l'appui du peuple. En 1804, il demande aux Français s'ils acceptent de le voir devenir empereur. Il n'y a plus d'opposants et la majorité des électeurs préfère approuver. Bonaparte n'a alors que 35 ans.

Le 2 décembre 1804, Bonaparte, devenu Napoléon Ier, se couronne lui-même empereur des Français, dans Notre-Dame de Paris illuminée.

● Les lycées

En 1802, Bonaparte crée les lycées. Les futurs cadres du pays y sont éduqués d'une manière militaire. Réveil au tambour à cinq heures et demie ! Le lycéen pensionnaire porte l'uniforme, fait l'exercice sous les ordres d'un sergent, le meilleur élève de sa classe.

● La cour impériale

Sous l'Empire, de simples soldats de la Révolution deviennent barons, comtes, ducs ou même princes. À la Cour se mêlent désormais d'anciens révolutionnaires, des bourgeois et des nobles de l'Ancien Régime, tous attachés à l'empereur qui fait leur fortune.

Pour récompenser ceux qui le servent bien, l'Empereur crée une décoration : la Légion d'honneur.

1798 : Bonaparte débarque en Égypte.

La Grande Armée

Pendant dix ans, Napoléon fait la guerre à l'Europe unie contre lui. Grâce à la Grande Armée et à son génie militaire, il conquiert un empire immense mais fragile.

L'EUROPE CONTRE L'EMPEREUR

L'Angleterre refuse les conquêtes de la France révolutionnaire. Elle réunit autour d'elle la Prusse, l'Autriche, la Russie. Les rois de ces pays condamnent la Révolution et se méfient de Napoléon, qui, à l'été 1805, se prépare à envahir l'Angleterre. Apprenant que Russes et Autrichiens s'unissent contre lui, Napoléon renonce à l'invasion. Il frappera ses ennemis au centre de l'Europe, à 1 500 kilomètres de là : à Austerlitz.

la bataille d'Austerlitz

● La bataille d'Austerlitz

Le 2 décembre 1805, le soleil se lève sur Austerlitz : Russes et Autrichiens ne voient pas toute la Grande Armée masquée par le brouillard. En moins de quatre heures de combats furieux, Napoléon est victorieux. « Je suis content de vous… » dit-il à ses hommes. La paix est signée.

Lourdement chargés, dormant souvent sur le sol gelé, les grognards marchent parfois 40 kilomètres par jour. Au combat, les soldats blessés sont amputés sans anesthésie. Ils mordent dans une balle en plomb pour atténuer la douleur.

L'EUROPE NAPOLÉONIENNE

Dans les pays conquis par Napoléon, les privilèges de la noblesse et du clergé sont abolis, l'égalité proclamée. Le service militaire et les impôts sont imposés à tous. Ces réformes enthousiasment les partisans des idées nouvelles. Mais l'occupation française, souvent très brutale, comme en Espagne, développe l'opposition à la France et le sentiment patriotique.

LA GRANDE ARMÉE

Depuis la Révolution, le service militaire – la conscription – est obligatoire. La Grande Armée compte 400 000 hommes. Le régiment le plus prestigieux, la Garde impériale, rassemble les plus grands et les plus valeureux des soldats.

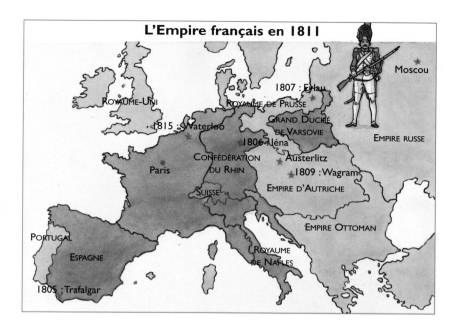

L'Empire français en 1811

★ batailles
▬ Empire français
▬ pays dominés par Napoléon
░ États indépendants

Moscou

1807 : Eylau

ROYAUME-UNI

ROYAUME DE PRUSSE

GRAND DUCHÉ DE VARSOVIE

1815 : Waterloo

1806 : Iéna

EMPIRE RUSSE

CONFÉDÉRATION DU RHIN

Paris

Austerlitz

1809 : Wagram

EMPIRE D'AUTRICHE

SUISSE

EMPIRE OTTOMAN

PORTUGAL

ESPAGNE

ROYAUME DE NAPLES

1805 : Trafalgar

● **Cambronne**
À Waterloo, les Anglais demandent au général Cambronne de se rendre. Cambronne refuse et il répond par un mot de cinq lettres, le « mot de Cambronne... ».

FACE AU « GÉNÉRAL HIVER »

En 1808, l'Autriche, la Prusse, la Russie, vaincues par l'Empereur, se sont alliées à la France. Mais Napoléon juge la Russie trop favorable à l'Angleterre. En 1812, il se lance à la conquête de l'Empire russe. Il entre dans Moscou, mais la ville désertée a été incendiée par l'armée russe. Les Français, incapables de vaincre un ennemi insaisissable, et victimes du terrible hiver russe, sont contraints à une retraite catastrophique.

LA CHUTE DE NAPOLÉON

La défaite en Russie a relancé l'opposition à Napoléon. En 1814, les armées européennes envahissent la France. Napoléon doit abdiquer. Exilé à l'île d'Elbe, il tente en mars 1815 de reconquérir son pouvoir. Pendant cent jours, il tient tête. Mais, le 18 juin 1815, il est vaincu à Waterloo et est déporté à l'île de Sainte-Hélène (au large de l'Angola) où il meurt en 1821.

Le froid est si terrible que les soldats ouvrent le ventre des chevaux mourants pour s'y réchauffer.

1806 : l'Arc de Triomphe, commandé par Napoléon, célèbre la Révolution et les victoires de l'Empereur.

De 1815 à 1848

En 1815, Napoléon Ier est vaincu. L'Empire est aboli. Le frère de Louis XVI, Louis XVIII monte sur le trône. À sa mort, il est remplacé par son frère Charles X. En 1830, une révolution chasse Charles X. Son cousin, Louis-Philippe, « le roi bourgeois », reste au pouvoir jusqu'en 1848.

Le drapeau blanc de la monarchie est rétabli de 1815 à 1830.

LA RESTAURATION

En 1815, les partisans de l'Ancien Régime triomphent. Dans le Midi, ils exécutent républicains et partisans de l'Empire : c'est la Terreur blanche. Louis XVIII met à la retraite un grand nombre d'officiers et de soldats de Napoléon. Il rappelle les nobles émigrés et les comble de faveurs. Pourtant, le roi conserve les grandes lois de la Révolution et l'administration mise en place par Napoléon. Les privilèges ne sont pas rétablis.

● Le « roué »

Les révolutionnaires parisiens ont imposé leur manière de parler et même leur prononciation. À Paris, le son « oi » se prononce comme aujourd'hui, alors que dans les campagnes on dit toujours comme autrefois « oué ». Louis XVIII revient à Paris après 25 ans d'absence, il ignore tout de ces changements. À la Cour, il veut dire « le roi c'est moi », mais déclare « le roué c'est moué » devant les courtisans consternés…

● Un député nommé Hugo

Écrivain célèbre, Victor Hugo est partisan de l'abolition de la peine de mort. Élu député en 1848, il dénonce surtout la misère ouvrière. Son roman : *Les Misérables* a pour héros Jean Valjean, un ouvrier condamné au bagne pour le vol d'un morceau de pain, et Gavroche, un gamin des rues.

Paris, ville populaire, connaît de violentes émeutes en 1832 et 1834.

● Le gamin et l'éléphant

Gavroche a trouvé refuge dans une gigantesque sculpture d'éléphant, place de la Bastille. Beaucoup d'enfants vivent alors dans la rue, à Paris. Certains se sont perdus, d'autres ont été abandonnés par leurs parents, trop pauvres pour les élever.

1816 : le navire *Méduse* fait naufrage ; **1819** : le peintre Géricault en fait un chef-d'œuvre : *Le Radeau de la Méduse*.

LA RÉVOLUTION DE 1848

En février 1848, à Paris, armée et manifestants s'affrontent. Les opposants, menés par le poète Lamartine, proclament la république. Le nouveau gouvernement rétablit le suffrage universel masculin. L'esclavage dans les colonies est aboli. Les clubs révolutionnaires débattent de l'égalité de l'homme et de la femme, du droit au travail... Mais en juin 1848, les ouvriers parisiens au chômage se soulèvent et leur mouvement est aussitôt écrasé par l'armée.

LOUIS-PHILIPPE

Porté au pouvoir par la révolution de 1830 qui a renversé Charles X, Louis-Philippe rêve d'une monarchie modérée. Il rétablit le drapeau tricolore, autorise des élections réservées aux plus riches et tolère une opposition modérée. Mais il écrase les soulèvements ouvriers comme celui des Canuts, les tisserands de la soie à Lyon. Occupé surtout par l'essor économique du pays, il néglige la montée des oppositions. En 1848, il est renversé par une révolution qui éclate à Paris.

● **Guignol**
Guignol qui bat Gendarme n'est pas un spectacle pour enfants, mais le théâtre de rue qui fait rire les Canuts lyonnais : avec des marionnettes, on peut tout dire, se moquer du roi, et surtout de la police.

Livres et écrivains du XIXᵉ siècle

L'imprimerie se modernise considérablement au XIXᵉ siècle. Livres et journaux sont désormais publiés par milliers d'exemplaires. Ils sont dévorés par de nombreux lecteurs qui ont soif de se distraire et de s'instruire.

DES ROMANS-FEUILLETONS CAPTIVANTS

Les romans-feuilletons, publiés par épisodes dans les journaux, sont suivis avec passion. En 1842, le public s'enflamme pour *Les Mystères de Paris* d'Eugène Sue. Alexandre Dumas obtient un succès comparable avec *Le Comte de Monte-Cristo*. Ponson du Terrail bat tous les records : de 1857 à 1870, cet auteur tient les lecteurs en haleine avec les aventures de Rocambole, un malfaiteur repenti qui défend les opprimés.

Voyage au centre de la Terre, Jules Verne

● Victor Hugo

Victor Hugo, né en 1802, meurt en 1885. Son œuvre touche à tous les genres : poésie, théâtre, roman, épopée... Dans son roman *Les Misérables*, il exprime sa fraternité pour le peuple et crée des personnages inoubliables : Jean Valjean, Cosette, Gavroche. Hugo compose des poèmes grandioses, mais sait aussi être simple et bouleversant, comme dans le recueil *Les Contemplations*, écrit après la mort de sa fille Léopoldine.

● Jules Verne

Écrivain déjà célèbre de son vivant, Jules Verne continue de faire rêver avec ses personnages hantés de projets fous : faire le tour du monde en 80 jours, descendre au centre de la Terre, régner sur le fond des océans. Jules Verne est fasciné par les progrès de la science et il va parfois plus vite qu'elle : avant l'heure, il a imaginé l'avion, le sous-marin ou la fusée.

LES PREMIÈRES HISTOIRES EN IMAGES

Les Malheurs de Sophie (1864) de la comtesse de Ségur

La Famille Fenouillard, de Christophe

LE SAVOIR À TRAVERS LES LIVRES

Répandre la connaissance grâce aux livres, telle est l'ambition de Pierre Larousse. En 1876, il achève la rédaction du *Grand Dictionnaire universel du XIXᵉ siècle*. Cet ouvrage immense aborde tous les sujets : science, histoire, littérature...

DES GRANDS POÈTES

Lamartine, Musset, Vigny, ces poètes romantiques ont le cœur au bout de la plume. L'Amour déçu ou impossible est un de leurs thèmes favoris. Baudelaire, Verlaine et Rimbaud privilégient l'imagination et cherchent à renouveler le langage poétique.

PEINDRE LA RÉALITÉ

À partir du milieu du XIXᵉ siècle, le roman apparaît comme un moyen de décrire le réel. En 1857, Gustave Flaubert, avec *Madame Bovary*, écrit l'histoire d'une femme de province qui rêve d'une vie romanesque. Émile Zola décrit les quartiers ouvriers de Paris, dans *L'Assommoir*, ou le monde des mineurs, dans *Germinal*. Selon lui, les individus sont déterminés, dès leur naissance, par leur origine sociale et leur hérédité.

Musset

Verlaine

Baudelaire

Lamartine

Rimbaud

● **Le tour de France par deux enfants**
Ce petit livre, publié en 1877, a été lu par des générations d'écoliers. Tout en racontant le voyage à travers la France de deux orphelins, l'auteur introduit des notions d'histoire, de géographie, et même de sciences physiques et naturelles. Les deux héros sont enfin des modèles dont les enfants doivent s'inspirer pour devenir de parfaits citoyens.

Gustave Doré, grand dessinateur et graveur, a illustré de nombreux livres, dont *Le Petit Chaperon rouge* de Charles Perrault.

La Vie privée des animaux (1840), illustrée par Grandville.

La révolution industrielle

Au XIXᵉ siècle, la France paysanne connaît de grandes transformations. À partir de 1840, la révolution industrielle commence. Grâce à de nouvelles techniques, l'industrie se développe. Près des villes, les usines occupent un nombre croissant d'ouvriers. Elles attirent de plus en plus de paysans.

Il y avait 500 000 habitants à Paris en 1800, il y en a plus de 2 millions en 1900.

LES PRODIGES DE LA VAPEUR

Dans les années 1770, les Anglais mettent au point des techniques qui provoquent le développement de l'industrie. L'une des grandes innovations est la machine à vapeur. Bientôt, dans les campagnes françaises, elle actionne les moissonneuses, dans les fabriques de textile, elle fait tourner les métiers à tisser et les machines à filer.

La machine à vapeur entraîne le mouvement du marteau-pilon qui permet de forger le métal avec une grande précision.

TOUJOURS PLUS DE MACHINES

En France, les machines sont d'abord accueillies avec méfiance. Les artisans redoutent la concurrence de ces monstres de métal avec lesquels on produit plus vite et moins cher. Mais on ne lutte pas contre le progrès. De 1850 à 1900, le nombre de machines à vapeur utilisées dans l'industrie passe de 5 300 à 74 600. De grandes usines apparaissent.

Grâce aux moissonneuses et aux batteuses à vapeur, la production de blé augmente rapidement.

1804 : Nicolas Appert invente l'ancêtre de la boîte de conserve.

Dans l'industrie textile, où femmes et enfants sont employés en grand nombre, les tâches sont répétitives. Les machines imposent leur cadence infernale.

LE RÔLE DES BANQUES

Les banques prêtent de l'argent aux entreprises et leur permettent ainsi de s'agrandir, d'acquérir de nouvelles machines. À partir de 1850, de nombreuses banques se créent : le Crédit Mobilier en 1852, la Société Générale et le Crédit Lyonnais en 1863.

LE BUDGET D'UN OUVRIER VERS 1850

Un ouvrier gagne en moyenne 10 francs par semaine. Il peut acheter un kilo de pain pour 22 centimes, 250 g de beurre pour 50 centimes. La viande étant très chère, il n'en mange qu'exceptionnellement. Une modeste cave, pour se loger, lui coûte 1,50 franc par semaine.

22 centimes   50 centimes   1,50 franc

LE MONDE DES OUVRIERS

L'industrialisation triomphe, mais la vie des ouvriers est très dure. Arrivant en masse des campagnes, ils s'entassent dans des quartiers insalubres, construits aux abords des villes. Il n'existe pas de protection sociale : en cas de maladie ou de licenciement, les ouvriers sont réduits à la misère. Ils réclament des hausses de salaires. Les patrons refusent et n'hésitent pas à faire intervenir l'armée pour réprimer les grèves.

Au cours du XIXe siècle, l'usage du charbon comme combustible ne cesse d'augmenter : les machines à vapeur, la métallurgie puis le chemin de fer en dévorent d'énormes quantités. Il faut produire de plus en plus... et il faut de plus en plus d'hommes pour descendre à la mine.

LA RUÉE VERS LES MINES

L'exploitation des gisements de charbon se développe dans le bassin de Saint-Étienne et surtout dans le Nord-Pas-de-Calais. Des milliers de paysans quittent les champs pour la mine et affluent vers ces régions qu'on surnomme les pays noirs. Le travail qui les attend est des plus rudes. Pour un salaire dérisoire, les mineurs passent 12 à15 heures par jour à plus de 200 mètres sous terre dans une chaleur et une humidité étouffantes.

Les rouleurs tirent bennes remplies de c jusqu'aux galeries pri où ils sont relay par des chevaux

DES ENFANTS DANS LA MINE

Vers 1850, on emploie encore beaucoup d'enfants de 8 ans, et parfois plus jeunes encore, dans les mines. Véritables petits esclaves, ils tirent de lourdes bennes de charbon à travers les galeries les plus étroites. En 1874 est votée une loi interdisant le travail des enfants de moins de 12 ans.

● **Les mineurs en colère**
Face aux employeurs qui les exploitent sans aucun scrupule, les mineurs forment une communauté unie qui lutte pour défendre ses intérêts. De nombreuses grèves secouent les régions minières. Certaines sont couronnées par de grandes conquêtes : à la fin du XIXe siècle, les mineurs obtiennent le droit à la retraite et leur journée de travail est réduite à dix heures.

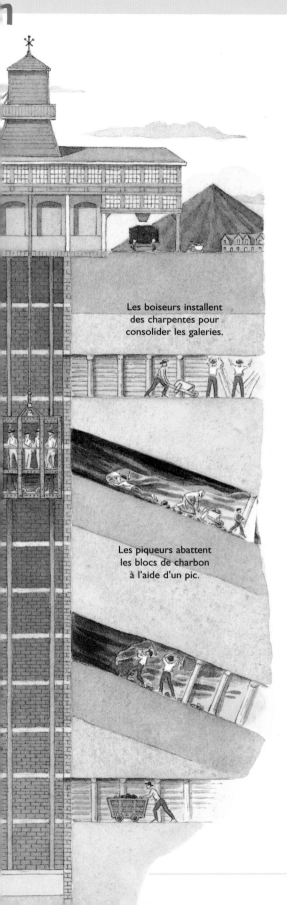

Les boiseurs installent des charpentes pour consolider les galeries.

Les piqueurs abattent les blocs de charbon à l'aide d'un pic.

LE PEUPLE DES PAYS NOIRS

Les compagnies minières font construire des logements à loyer modeste près de la mine : les corons. Les familles organisent leur vie dans ces cités. Souvent, dès 8 ans, les garçons descendent dans la mine, pour arrondir les revenus du foyer. Adultes, ils épousent une fille du coron et fondent à leur tour une famille. Ainsi, de génération en génération, les mineurs s'enracinent dans les pays noirs.

En 1906, à Courrières, un coup de grisou fait 1 099 morts.

● Accidents et maladies

La mine expose les hommes à toutes sortes de dangers. Inondations et éboulements y sont fréquents. Et puis il y a le redoutable grisou : ce gaz produit par le charbon explose à la moindre flamme. Il suffit qu'une lampe tombe et c'est l'accident. Les mineurs sont aussi victimes de nombreuses maladies, notamment la silicose, une terrible maladie des poumons provoquée par la poussière de charbon.

1827 : Le premier chemin de fer transporte du charbon (entre Saint-Étienne et Andrézieux).

Chefs-d'œuvre de fer et de fonte

Produits par les usines métallurgiques, le fer et la fonte s'imposent à partir de 1850 dans toutes les nouvelles constructions. Ingénieurs et architectes explorent les possibilités que leur offrent ces matériaux. Ils créent de superbes édifices qui frappent autant par leur audace technique que par la modernité de leur style.

UNE NOUVELLE ARCHITECTURE

Dans les villes, l'architecture donne une place de plus en plus importante au métal. Les gares construites à cette époque sont d'imposants bâtiments dont l'ossature métallique s'affiche.

Dans le nord de la France, des gares monumentales se multiplient, comme la gare d'Arras, aujourd'hui détruite.

● L'architecte Baltard

Il trace les plans des Halles de Paris en 1853, utilise le fer, la brique et le verre pour obtenir un ensemble remarquablement léger. Ces bâtiments ont été détruits en 1980 pour faire place à ce que l'on appelle aujourd'hui le Forum des Halles.

DES PONTS DE MÉTAL

Le fer et la fonte sont des matériaux très résistants : ils peuvent supporter des poids énormes. À partir de 1850, ils sont utilisés pour la construction des ponts. Les ingénieurs réalisent des ouvrages toujours plus ambitieux.

Les grandes verrières des halles Baltard, à Paris.

1886 : La statue de la Liberté quitte Paris pour New York.

POUR OU CONTRE LA TOUR

Symbole de la modernité, la tour Eiffel est immédiatement admirée par de nombreux visiteurs venus de toute l'Europe. Mais elle a aussi ses adversaires : elle choque beaucoup d'artistes de l'époque. Parmi eux, l'écrivain Guy de Maupassant qualifie la tour de « squelette disgracieux et géant ».

Le viaduc de Garabit
Dans le Cantal, c'est un véritable exploit technique, avec son unique arche qui enjambe la vallée de la Truyère, à plus de 120 mètres de hauteur. Achevé en 1884, il est l'œuvre d'un ingénieur qui deviendra bientôt célèbre : Gustave Eiffel.

L'AUDACE DE GUSTAVE EIFFEL

Une tour de fer de 300 mètres ! Lorsqu'il lance cette idée, en 1884, Gustave Eiffel songe à l'Exposition universelle prévue à Paris en 1889 : une tour colossale, voilà qui donnerait une brillante image de la France. De nombreuses personnes pensent alors que ce projet est irréalisable. Devenue le symbole de Paris, la tour a vu défiler aujourd'hui plus de 120 millions de visiteurs. Elle est aussi un support d'antennes de radio et de télévision.

Pour construire la tour Eiffel, les ouvriers devront assembler 18 000 pièces métalliques, un travail « vertigineux » !

L'élévation de la tour Eiffel. Les travaux commencent en 1887. Bâtie avec une précision mathématique, la tour est achevée en 1889, juste à temps pour l'Exposition universelle !

Napoléon III et le Second Empire

Napoléon III

En décembre 1848, le prince Louis-Napoléon Bonaparte est élu président de la République. Neveu de Napoléon Ier, il a obtenu les voix des bourgeois conservateurs comme des paysans, très attachés au souvenir de l'Empereur. C'est le Second Empire.

LE COUP D'ÉTAT DE 1851

Arrivé au pouvoir six mois après la révolution de 1848, le Prince-Président est élu pour quatre ans. Pour se maintenir au pouvoir, il n'hésite pas à faire un coup d'État avec l'aide de l'armée, le 2 décembre 1851, anniversaire du sacre de Napoléon Ier. Un an plus tard, il rétablit l'Empire et se fait couronner sous le nom de Napoléon III.

● L'empire autoritaire
Comme son oncle, Napoléon III ne tolère pas la moindre critique. Dès le coup d'État, il ordonne l'arrestation de 50 000 opposants. Jusqu'en 1860, les libertés sont suspendues, la presse est sous surveillance.

Victor Hugo, député depuis 1848 et opposant farouche au Second Empire, préfère s'exiler à Guernesey plutôt que de vivre sous un régime autoritaire.

1869 : Ouverture du canal de Suez, en Égypte. Il relie la mer Rouge à la Méditerranée.

● Une politique de grandeur
Au début du règne, l'économie est prospère. Des hommes d'affaires, comme les Rothschild ou les frères Péreire, créent des banques, des sociétés de chemin de fer. L'empereur s'entoure d'une cour brillante, multiplie les bals et les réceptions. Il rêve de faire de Paris la plus belle capitale d'Europe. Sur son ordre, le préfet Haussmann se lance dans d'immenses travaux de modernisation.

Les élégantes portent des robes à crinoline (une jupe permet de faire bouffer la robe grâce à des cercles d'acier) et des corsets serrés (pour avoir une « taille de guêpe » !).

LES RÉFORMES EN 1860-1870

À partir de 1860, Napoléon III renonce à sa politique autoritaire. Il prend des mesures favorables aux ouvriers. Le droit d'association est à nouveau reconnu (autorisant ainsi les syndicats) et la grève n'est plus réprimée. Les journaux retrouvent une plus grande liberté. Malgré ces mesures libérales, l'opposition ne cesse de grandir.

LES NOUVEAUTÉS

- les banques ouvertes à tous les déposants
- la caisse d'épargne
- l'abonnement hebdomadaire de chemin de fer
- la douche (d'abord dans les prisons et les casernes)
- les grands magasins

Le Bon Marché, un grand magasin parisien

LA POLITIQUE ÉTRANGÈRE

Depuis la chute de Napoléon Ier en 1815, la France est isolée en Europe. Napoléon III souhaite mener à nouveau une politique étrangère prestigieuse. Mais ses interventions diplomatiques sont souvent des échecs. En 1870, elles débouchent sur la guerre contre la Prusse.

La mode masculine des uniformes richement ornés cède la place à celle du « smoking » noir venu d'Angleterre.

Durant la seconde moitié du XIXe siècle, la peinture se libère des règles imposées par la tradition classique. Paris est un point de rencontre pour beaucoup de jeunes artistes qui bouleversent les conventions et inventent une façon moderne de peindre.

LE SUCCÈS DE L'ART POMPIER

Vers 1850, les peintres les plus en vogue trouvent leur inspiration dans l'Antiquité grecque et latine, ou dans les grands moments de l'histoire de France. Leurs tableaux représentent des scènes héroïques ou tragiques. Ces peintres sont admirés et célébrés, ils décorent les mairies, les opéras, les théâtres. Ils peignent avec une technique parfaite, mais certains jugent leur style prétentieux, pompeux et les surnomment « artistes pompiers ».

LE MOUVEMEMENT RÉALISTE

Pourquoi reproduire des scènes de l'Antiquité, alors que la vie moderne offre des sujets tout aussi intéressants ? Jean-François Millet le prouve avec ses tableaux qui décrivent la vie modeste et rude des paysans. Gustave Courbet rejette également les grands thèmes historiques. Il s'efforce de restituer fidèlement le monde qui l'entoure, et notamment les paysages de sa région natale, la Franche-Comté.

En 1863 s'ouvre
le Salon des Refusés, qui regroupe
les œuvres écartées du Salon officiel.

● **Des peintres qui choquent**

Les œuvres de Millet et de Courbet influencent beaucoup de jeunes peintres qui souhaitent tous innover. Bon nombre de leurs toiles ne sont pas admises au Salon, cette grande exposition qui a alors lieu chaque année à Paris.

Les Batteleurs, de Millet, une image simple et émouvante de la France paysanne.

Le Déjeuner sur l'herbe, d'Édouard Manet, fait scandale au Salon des Refusés : cet « indécent » tableau montre une femme nue aux côtés de deux messieurs élégamment vêtus.

LES IMPRESSIONNISTES

Le terme « impressionnistes » est d'abord lancé comme une moquerie pour désigner un groupe d'artistes qui compte, entre autres, Claude Monet, Auguste Renoir, Paul Cézanne. L'ambition de ces peintres est de restituer l'atmosphère d'un lieu, les effets chatoyants de la lumière et de capturer « l'instant » sur leur toile. Ils créent un style si nouveau que les critiques traitent leurs tableaux de « badigeonnages ».

Le style de Monet s'affirme dans cette toile intitulée *Impression soleil levant*. Le peintre cherche à traduire des « impressions » immédiates : la brume du petit matin, le jeu des reflets sur l'eau, la lumière d'un instant.

La conquête de la République

Le 2 septembre 1870, Napoléon III est fait prisonnier par les Allemands à Sedan. À Paris, on acclame aussitôt la chute de l'Empire. La Troisième République est proclamée dans un pays en pleine guerre.

LES CONDITIONS DE LA PAIX

Malgré les efforts de résistance de l'armée française, la supériorité militaire de l'Allemagne s'impose en janvier 1871. L'Assemblée nationale, élue en février, négocie la paix avec l'Allemagne. Le prix de la défaite est lourd : la France doit payer une importante indemnité de guerre. De plus, elle est amputée d'une partie de son territoire : l'Alsace et le nord de la Lorraine sont annexés à l'Empire allemand.

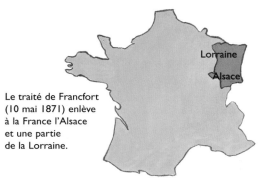

Le traité de Francfort (10 mai 1871) enlève à la France l'Alsace et une partie de la Lorraine.

● **Un bureau de vote avec quelques électeurs**
Symbole de la démocratie, le suffrage universel est rétabli sous la Troisième République. Désormais, tous les citoyens majeurs peuvent voter, mais pas les citoyennes : les femmes n'ont toujours pas le droit de vote.

LA RÉVOLTE DE PARIS

La capitale, assiégée depuis septembre 1870, veut continuer à se battre et s'indigne de la capitulation décidée par l'Assemblée. Le 26 mars 1871, les Parisiens élisent un gouvernement indépendant : la Commune. Soutenue par les ouvriers, la Commune veut bâtir une société révolutionnaire, plus juste, où les décisions seraient prises par l'ensemble du peuple. Mais le 21 mai 1871, le gouvernement envoie ses troupes : la révolte est écrasée.

● **Le mur des Fédérés, au Père-Lachaise**
Le 28 mai 1871, les derniers combattants de la Commune, qui se sont réfugiés à l'intérieur du cimetière du Père-Lachaise, sont exécutés. En une semaine, la répression de la révolte a fait au moins 20 000 morts dans Paris.

LA RÉPUBLIQUE AUX RÉPUBLICAINS

Malgré les manœuvres des royalistes pour restaurer la monarchie, les idées républicaines conquièrent de plus en plus d'électeurs. La victoire des républicains est totale lorsque l'un des leurs, Jules Grévy, devient président de la République en 1879. Les républicains qui s'installent au pouvoir cherchent à concilier toutes les classes sociales, de la grande bourgeoisie aux ouvriers. Les représentants du peuple gouvernent de façon modérée en se souciant avant tout de l'unité du pays.

LES JEUNES FILLES AU COLLÈGE

Jules Ferry fait construire de nombreux collèges et lycées pour les jeunes filles : c'est une grande nouveauté. Jusque-là, il n'existait pas d'enseignement secondaire pour les filles.

LES GRANDES LOIS RÉPUBLICAINES

En 1881, deux lois garantissent la liberté de réunion et de la presse. Une loi votée en 1884 autorise la création de syndicats : les travailleurs peuvent se grouper pour défendre leurs intérêts. Par ailleurs, le ministre Jules Ferry rend l'école obligatoire et gratuite pour les enfants de 6 à 13 ans. La religion n'est plus enseignée : l'école est laïque.

● Le scandale de l'affaire Dreyfus

En 1898, l'affaire Dreyfus divise la France en deux camps. Les dreyfusards réclament la révision du procès du capitaine Dreyfus, accusé à tort d'espionnage en 1894. Les antidreyfusards affirment la culpablilité de Dreyfus. Ils sont influencés par une violente campagne antisémite : Dreyfus est d'autant plus haï qu'il est juif. Ce n'est qu'en 1906 qu'il est reconnu innocent.

— Surtout ! ne parlons pas de l'affaire Dreyfus !

— Ils en ont parlé...

1885 : Pasteur met au point un vaccin contre la rage.

Les grandes inventions du XIXe siè

L'invention du pneumatique démontable par les frères Michelin, en 1895, permet d'améliorer le confort des automobilistes.

Il y a des époques où le monde semble changer à toute allure. À la fin du XIXe siècle, le train a remplacé les diligences et, déjà, l'homme rêve aux avions. À cette même période, on invente l'ampoule électrique, le cinématographe et le téléphone.

LA NAISSANCE DE L'AUTOMOBILE

La première voiture à essence équipée d'un moteur à explosion est construite par l'Allemand Daimler en 1886. En France, les associés Panhard et Levassor, les frères Peugeot et Louis Renault créent de nombreux modèles. Avec leurs roues de bois cerclées de fer, les automobiles cahotent sur les routes et ne dépassent guère les 20 kilomètres par heure.

LES PROGRÈS DU CHEMIN DE FER

« M'attrape-qui-peut » : c'est le nom de la première locomotive à vapeur. Elle est née en Angleterre en 1804 et atteint la vitesse honorable de 8 kilomètres par heure. Au cours du siècle, les locomotives se perfectionnent et le chemin de fer conquiert toute l'Europe. En France, il se développe à partir de 1830.

● **À toute vitesse !**
Les premières grandes lignes relient Paris à Calais, Rouen ou Orléans. Dès 1850, sur le Calais-Paris, les trains roulent à 60 kilomètres par heure en moyenne, une vitesse qui semble folle pour les voyageurs de cette époque.

● **« L'Obéissante », d'Amédée Bollée**
Les premières voitures fonctionnaient à la vapeur. Cet imposant véhicule à vapeur, mis au point par le Français Amédée Bollée en 1873, pèse 5 tonnes et peut transporter 12 personnes.

LA PHOTOGRAPHIE
Le procédé photographique a été inventé en 1826 par un physicien français, Nicéphore Niepce. Ses recherches ont été reprises et perfectionnées par Jacques Daguerre. Un nouvel art est né.

● L' Avion n° 3 d'Ader

Clément Ader donne à cette grande chauve-souris le nom d'*Avion*. Deux moteurs à vapeur font tourner ses deux hélices.

LES PIONNIERS DE L'AVIATION

En 1890, le Français Clément Ader effectue le premier vol soutenu par un moteur à vapeur : son avion parcourt une cinquantaine de mètres en ligne droite. La conquête du ciel commence. Aux États-Unis, en 1904, les frères Wright construisent un avion propulsé par un moteur à essence. Les vols se multiplient, les records de distance sont sans cesse battus : en 1909, l'aviateur français Louis Blériot a traversé la Manche en 37 minutes.

DU CÔTÉ DE LA VIE QUOTIDIENNE

Les nombreuses inventions du XIXe siècle modifient la vie de tous les jours.

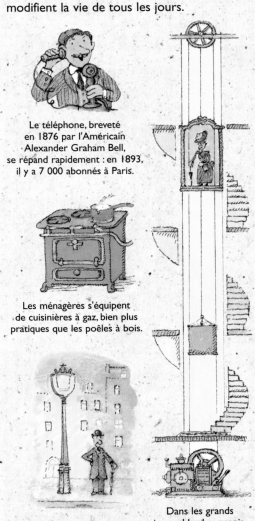

Le téléphone, breveté en 1876 par l'Américain Alexander Graham Bell, se répand rapidement : en 1893, il y a 7 000 abonnés à Paris.

Les ménagères s'équipent de cuisinières à gaz, bien plus pratiques que les poêles à bois.

En ville, le gaz est distribué dans les appartements vers 1850.

Dans les grands immeubles bourgeois, on installe les premiers ascenseurs.

1896 : le baron Pierre de Coubertin invente les Jeux olympiques modernes.

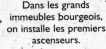

L'aventure coloniale

A u cours du XIXᵉ siècle, la France conquiert un immense empire colonial en Afrique et en Asie. Mais l'aventure coloniale réveille la rivalité des puissances européennes, prêtes à se faire la guerre pour obtenir le plus grand empire possible.

LES PREMIÈRES COLONIES FRANÇAISES

Dès le XVIᵉ siècle, la France a conquis des territoires en Amérique du Nord, au Canada. Au XVIIᵉ siècle, les Français sont aux Antilles. Ils fondent en Afrique Saint-Louis du Sénégal.

les colonies françaises au début du XXᵉ siècle

POURQUOI DES COLONIES ?

En 1815, les grandes puissances européennes veulent empêcher la France de jouer un grand rôle en Europe. Elles l'encouragent à conquérir des territoires dans le reste du monde. Après 1870, la France, vaincue par l'Allemagne, voit dans la conquête de colonies une nouvelle forme de puissance. À partir de 1880, les hommes politiques comme Jules Ferry comprennent qu'une colonie peut être une source de richesses.

● **La vie dans une colonie**
En 1900, une partie de Hanoi (en Indochine) ressemble à une ville française avec ses immeubles, sa cathédrale, ses magasins où l'on trouve camembert et saucisson.

Savorgnan
de Brazza,
marin, explorateur
de l'Afrique
de l'Ouest,
prend très tôt
la défense
des Africains
maltraités
par les colons.

PREMIERS EXPLORATEURS

En 1830, les terres intérieures de l'Afrique ou de l'Asie sont inconnues. Les premiers à y partir sont des missionnaires qui veulent convertir des peuples dont on ignore tout. Au même moment, des marins remontent les fleuves depuis l'embouchure ; ils font signer aux rois locaux, qui ne comprennent pas le français, des traités les plaçant sous le contrôle du roi de France. Peu après, les soldats s'installent. Viennent ensuite des aventuriers qui rêvent de faire fortune dans ces pays mystérieux.

● Conquête par les armes

La colonisation suscite partout des mouvements de résistance : en Afrique du Nord, en Indochine, où existaient des royaumes organisés, les Français luttent longtemps pour pacifier le pays. En Afrique noire, la division de la population en tribus rivales permet aux Européens de s'imposer.

● Colons et indigènes

Dans les territoires qu'ils découvrent, les Européens, sûrs de leur supériorité, apportent avec eux la civilisation, la médecine occidentale, mais prennent possession des terres qu'ils mettent en valeur avec l'aide de la population contrainte au travail forcé.

RIVALITÉS COLONIALES

À partir de 1885, les Européens décident de se partager l'Afrique. En 1898, Français et Anglais arrivent aux sources du Nil, à Fachoda, et revendiquent en même temps ce territoire. Les deux pays sont alors au bord de la guerre. En 1905, la France et l'Allemagne s'opposent à propos du Maroc. Cette rivalité réveille l'hostilité qui depuis 1870 oppose les deux pays.

1883 : Charles de Foucault découvre de nouveaux itinéraires au Maroc.

La Belle Époque

Bécassine, héroïne d'albums illustrés (1905)

1900... La République est désormais solidement installée. Les progrès techniques et scientifiques améliorent les conditions de vie. La France donne l'image d'un pays heureux et prospère. Ces années qui précèdent la guerre de 1914, ont été par la suite qualifiées de « Belle Époque ».

L'EXPOSITION UNIVERSELLE

Le XXᵉ siècle s'ouvre sur une fête grandiose dédiée au progrès : l'Exposition Universelle qui a lieu à Paris en 1900. Tous les pays sont venus présenter leur art, leur industrie. Les milliers de visiteurs circulent sur des trottoirs roulants installés pour l'occasion. Le clou de l'Exposition est le palais de la fée Électricité élevé par les Français. Pour le public, cette source d'énergie est une force encore mystérieuse, presque magique.

● Les plaisirs de la ville

Théâtres, music-halls, cabarets, restaurants : pour les citadins de la Belle Époque, la ville offre toutes sortes de distractions.
Le dimanche, les rues sont pleines de promeneurs qui savourent leur journée sans travail : ce jour de repos hebdomadaire date de 1906.

● Les premières affiches publicitaires

Les réclames, en couleurs, apparaissent dans les années 1900. Souvent exécutées par de grands dessinateurs, elles égayent les murs de la ville.

1911 : Marie Curie obtient le prix Nobel de chimie pour sa découverte de la radioactivité.

UNE NOUVELLE FORCE POLITIQUE : LE SOCIALISME

Les socialistes affirment leur solidarité avec les ouvriers. Ils estiment que les richesses doivent être également réparties entre tous. En 1905, les socialistes se réunissent en un parti, la SFIO (Section française de l'Internationale ouvrière). Après 1910, alors que les menaces de guerre se précisent, les socialistes militent pour la paix.

L'AGITATION OUVRIÈRE

Les ouvriers ont gagné le droit de s'exprimer, par l'intermédiaire des syndicats, et de faire la grève. Cependant, leur vie reste misérable. Plus de 1 000 grèves sont organisées au cours de l'année 1909 ! Les manifestations du 1er mai, jour de la fête du Travail, tournent souvent en bataille contre les forces de l'ordre.

Jean Jaurès, député de Carmaux, brillant orateur, est le dirigeant socialiste le plus connu. Partisan de la paix dans une Europe qui réarme, il mobilise les socialistes contre la guerre.

LA SÉPARATION DE L'ÉGLISE ET DE L'ÉTAT

Le gouvernement, élu en 1902, composé d'une majorité d'hommes de gauche, mène une politique hostile vis-à-vis de l'Église. Des écoles, tenues par des religieux, sont fermées. En 1905, une loi déclare la séparation de l'Église et de l'État. Toutes les religions sont autorisées, mais l'État ne nomme plus les évêques et ne rémunère plus les membres du clergé.

● 4, 3, 2, 1... Partez !
Le premier tour de France cycliste a lieu en 1903. Le public se passionne pour cet événement. La bicyclette, surnommée la « petite reine », est déjà très populaire.

La guerre de 1914-1918

En 1914, l'Europe entre dans la guerre. Tous croient à une guerre courte. Mais le conflit devient mondial. Il va durer quatre ans.

LA MARCHE À LA GUERRE

En 1905, l'Europe est divisée en deux blocs : la Triple-Alliance regroupe l'Allemagne, l'Autriche-Hongrie, l'Italie. La Triple-Entente associe la France, l'Angleterre, la Russie. Ces deux blocs, en compétition économique et coloniale, se livrent à une dangereuse course aux armements.

LA GUERRE DÉBUTE À SARAJEVO

Le 28 juin 1914, l'héritier du trône d'Autriche-Hongrie est assassiné en Bosnie, à Sarajevo, par un jeune nationaliste. La Bosnie est autrichienne et les nationalistes bosniaques veulent l'indépendance. Ils sont armés par la Serbie voisine. L'Autriche déclare la guerre à la Serbie le 28 juillet 1914. Aussitôt la Russie, alliée de la Serbie et de la France, mobilise son armée. Le 3 août, l'Allemagne déclare la guerre à la France.

François-Ferdinand assassiné, l'Autriche et l'Allemagne croient pouvoir déclencher une guerre limitée contre la Serbie.

● **La bataille de la Marne**
Le 3 septembre 1914, les Allemands sont à 40 kilomètres de Paris. Les généraux Joffre et Gallieni font venir en taxi des troupes fraîches pour la grande bataille qui se prépare sur la Marne. Après une semaine de combats acharnés, les Allemands reculent. Paris est sauvé, l'invasion repoussée. En novembre, les deux armées épuisées se font face, de la mer du Nord à la Lorraine.

Le maréchal Joffre

Jean Jaurès, socialiste opposé à la guerre, assassiné le 31 juillet 1914

De 1914 à 1917, les armées s'enterrent dans les tranchées.

Jusque-là, les femmes travaillaient dans l'industrie textile. Avec la guerre, elles fabriquent obus et munitions, ce sont les « munitionnettes ».

L'ÉTÉ 1914

Dans les gares, partant pour le front, certains ont la fleur au fusil, mais la majo-rité des soldats sont résignés à défendre leur patrie. On leur a dit que les Allemands, les « Alboches », se rendraient pour une tartine. Mais dès les premiers jours, l'attaque ennemie est fulgurante et l'armée allemande s'avance en France.

● La guerre totale

Pour gagner la guerre, les pays mobilisent leur économie et leur population. On fait venir des troupes d'Afrique. Les femmes travaillent dans les usines d'armement. Toutes les industries sont au service de l'armée.

LES GRANDES BATAILLES

1914 : la Marne
1916 : Verdun
1916 : la Somme
1917 : le Chemin des Dames

● L'enfer de Verdun

Le 26 février 1916, jour de l'attaque allemande, un million d'obus tombent sur Verdun. Les terribles bombardements durent quatre mois. Les soldats se battent et meurent pour gagner quelques mètres sur l'adversaire. La bataille fait 240 000 morts français et 275 000 du côté des Allemands.

L'ossuaire de Verdun, à la mémoire des soldats…

LES ARMES NOUVELLES

l'avion (1914)

les gaz (1915)

le sous-marin (1916)

le char (1918)

LES GRANDES FIGURES

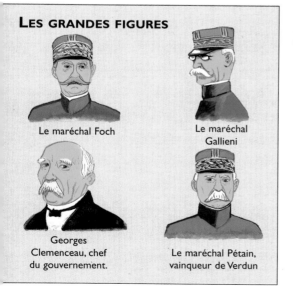

Le maréchal Foch

Le maréchal Gallieni

Georges Clemenceau, chef du gouvernement.

Le maréchal Pétain, vainqueur de Verdun

LA FIN DE LA GUERRE

En 1917, les combattants ne croient plus à la victoire. Des mutineries éclatent sur le front. Mais en avril, les États-Unis entrent en guerre aux côtés des Français et des Anglais. En 1918, les Alliés emportent la victoire. L'Allemagne, épuisée, signe l'armistice le 11 novembre 1918.

Les Années folles, les années de cr

En 1918, la France est victorieuse mais le bilan de la guerre est très lourd : 1,3 million de morts, des centaines de milliers de blessés, souvent très jeunes. Le retour à la paix est difficile, mais les Français veulent oublier la guerre.

ANNÉES FOLLES ET ANNÉES DE CRISE

Au lendemain de la guerre, l'économie redémarre mal et les anciens combattants découvrent le chômage et la vie chère. La prospérité revient en 1925. Pour certains, c'est alors l'époque des « Années folles ». Les plus fortunés découvrent le confort venu d'Amérique : réfrigérateur, radio, machine à laver. Mais en 1930, la grande crise économique commence. La France n'en sortira qu'à la fin des années 1930.

LES ÉVÉNEMENTS SPORTIFS

1918 : 1re coupe de France de foot
1921 : Carpentier, un Français en coupe du monde de boxe
1924 : Jeux olympiques de Paris
1925 : Croisière noire : expédition automobile Citroën en Afrique
1931 : victoire des tennismen français Lacoste et Borotra en coupe Davis

1936 : Charles Trénet chante la joie de vivre « Y'a d'la joie ».

● **La nouvelle place des femmes**
Pendant le conflit, les femmes ont remplacé les hommes aux champs et à l'usine. Elles se sont habituées à travailler, à sortir seules. Les plus éprises d'indépendance se sont mises à fumer, à conduire.

Avec la guerre, le manque de tissu a raccourci les robes au genou. Au lieu des savants chignons, les femmes se font maintenant couper les cheveux très court, à la « garçonne ».

LE FRONT POPULAIRE

En 1936, le Front populaire (socialistes et communistes) remporte les élections. Pour obtenir des réformes, les ouvriers se mettent en grève et occupent les usines. Le patronat signe alors avec les syndicats et le gouvernement de Léon Blum les accords de Matignon : les salaires augmentent, les ouvriers gagnent un deuxième jour de repos par semaine et obtiennent surtout une semaine de congés payés.

En train ou à vélo, les Français partent camper ou au bord de la mer pour leurs toutes premières vacances.

● **Avant-garde**
Bouleversés par
la guerre, les artistes
veulent montrer
tous les aspects
d'une réalité violente
et mystérieuse.
Les cubistes, comme
Picasso ou Braque,
privilégient les formes
géométriques.
Les surréalistes,
comme André Breton
ou Salvador Dali,
insistent quant à eux
sur la part de rêve
dans l'art.

Les Français veulent oublier
la guerre et se divertir :
ils dansent le charleston,
découvrent le jazz, venu des
États-Unis, vont au cinéma,
se passionnent pour
les automobiles...

**Une nouvelle
révolution
industrielle**

Au début du siècle, la majorité des Français
sont des paysans. La grande industrie est rare,
les ouvriers travaillent dans de petites entreprises.
Depuis la guerre, quelques industriels se sont
lancés dans la production automobile en série,
comme Louis Renault ou André Citroën.

LA MARCHE À LA GUERRE

L'été 1936 est assombri par la guerre
qui a éclaté en Espagne et par la menace
hitlérienne. Pour redonner à l'Allemagne
sa puissance perdue en 1918, Hitler se
prépare en effet à la guerre. En France,
le gouvernement réarme ses troupes. En
1939, les usines d'armement tournent à
plein régime. La guerre est proche.

1940, la défaite de la France

Le **1er septembre 1939**, la Seconde Guerre mondiale éclate. L'Allemagne envahit la Pologne. L'Angleterre et la France, toutes deux alliées à la Pologne, déclarent aussitôt la guerre à Hitler.

LA « DRÔLE DE GUERRE »

L'armée française, protégée derrière les fortifications de la ligne Maginot, attend l'attaque allemande, mais Hitler est à l'Est : son armée écrase la Pologne. Cette « drôle de guerre », où l'on ne se bat pas, dure des mois et les soldats français s'usent et perdent peu à peu le moral.

LES DEUX ARMÉES RIVALES

Bien que les forces des armées françaises et allemandes soient à peu près égales, les Allemands ont l'avantage d'avoir déjà remporté une victoire sur l'armée polonaise. Le mouvement des blindés se fait en liaison avec les avions de chasse, c'est la « guerre éclair », la *blitzkrieg*.

L'invasion et l'exode découragent le gouvernement de poursuivre une guerre que l'on craint aussi longue et meurtrière qu'en 1914.

LA DÉBÂCLE

Le 10 mai 1940, Hitler attaque la Hollande et la Belgique. Le 15 mai, ses chars bousculent les Français dans les Ardennes et entrent en France. En quinze jours, l'armée française bat en retraite sur les routes encombrées de réfugiés.

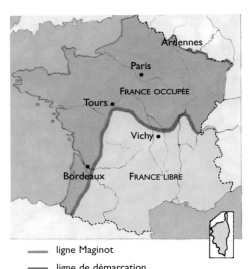

— ligne Maginot

— ligne de démarcation

Les généraux allemands utilisent du matériel moderne. Les chars ne sont pas répartis sur tout le front comme en France (ligne Maginot), ils sont rassemblés en régiments blindés offensifs.

juin 1940 : Des pêcheurs partent de l'île de Sein vers l'Angleterre.

● Les Allemands à Paris

Début juin 1940, les Allemands vont droit sur Paris. Leur avance sème la panique. 5 millions de Français s'enfuient vers le sud, les villes se vident. Le gouvernement s'installe à Tours puis à Bordeaux. La situation est désespérée. Le 15 juin, les Allemands sont à Paris et le chef du gouvernement, Paul Reynaud, démissionne. Il est remplacé par le maréchal Pétain, vainqueur de Verdun.

● **De Gaulle
et l'appel à la résistance**
À 49 ans, Charles de Gaulle est
un brillant officier. En mai 1940,
il s'attaque avec ses chars à l'armée
allemande, mais reçoit l'ordre de
se replier. Membre du gouvernement,
il refuse l'arrêt des combats.
Le 17 juin, il s'envole pour Londres.
Le 18 juin, à la BBC, la radio anglaise,
il appelle les Français à continuer
la lutte aux côtés des Anglais :

« Quoi qu'il
arrive, la flamme
de la résistance
française
ne doit pas
s'éteindre et ne s'éteindra pas. »

PÉTAIN DEMANDE L'ARMISTICE

Pétain a 84 ans. Il croit la guerre perdue et veut négo-
cier avec les Allemands. Le 17 juin 1940, il annonce à
la radio : « C'est le cœur serré que je vous dis qu'il
faut cesser de se battre... » Cet appel rassure les civils
mais casse la résistance de ceux qui se battent encore.
Le 22 juin, l'armistice est signé : les hostilités s'arrêtent mais la France est occupée.

LE GOUVERNEMENT DE PÉTAIN À VICHY

La moitié nord du pays est contrôlée par les
Allemands et l'Alsace-Lorraine est annexée par
Hitler. Au sud de la Loire, la France garde une zone
non occupée. Pétain, très populaire, y a installé son
gouvernement. Dirigé par Pierre Laval à Vichy, il
supprime les élections, la République, et sa devise
« Liberté, égalité,
fraternité », qu'il
remplace par
« Travail, famille,
patrie ».

Le 24 octobre 1940,
Pétain serre
la main d'Hitler
à Montoire et s'engage
dans une dangereuse
collaboration
avec l'Allemagne.

La France occupée de 1940 à 1944

En 1940, la France est coupée par une frontière : la ligne de démarcation. Les Allemands occupent le Nord et imposent mille contraintes : demande d'autorisation pour se déplacer, couvre-feu, interdiction de sortir le soir.

Arrêté et torturé par Klaus Barbie, Jean Moulin meurt en juin 1943.

VICHY, LA COLLABORATION

Au sud, le gouvernement de Pétain dirigé par Laval maintient la loi française, mais se rapproche peu à peu des nazis (membres du parti de Hitler). Dès 1940, les juifs sont déjà des citoyens mis à part. En 1942, lorsque les Allemands envahissent la zone Sud, le gouvernement de Vichy est devenu un régime autoritaire et policier qui a perdu la confiance des Français.

les « zazous »

● **Loisirs et modes**
Les journaux d'avant-guerre ont été censurés. La radio, *Radio Paris* est contrôlée par les Allemands. Le soir, on écoute en cachette, à la BBC anglaise, l'émission des Français libres et l'on fredonne son slogan : « Radio Paris ment, Radio Paris ment, Radio Paris est allemand ». À Paris, on va au théâtre en évitant ceux fréquentés par l'ennemi. Les jeunes à la mode, les « zazous », portent des vêtements très larges, sont ébouriffés, provocants et écoutent une musique américaine interdite : le jazz.

● **Le temps des restrictions**
Dès l'été 1940, la France est pillée par l'occupant. Les magasins sont vides : œufs, viandes, sont introuvables. Les seuls légumes abondants, rutabagas et topinambours, étaient autrefois réservés aux animaux ! On se chauffe au bois, l'essence est hors de prix. En ville, les vélos-taxis remplacent les voitures.

LA RÉSISTANCE S'ORGANISE

Dès 1940, des hommes et des femmes s'organisent pour lutter contre l'occupant. En août 1941, les communistes rejoignent la Résistance et déclenchent les premiers attentats anti-allemands. La répression est très brutale. Mais en 1942, la Résistance s'unifie autour de Jean Moulin, envoyé de Londres par le général de Gaulle.

En 1943, pour fuir le Service du travail obligatoire en Allemagne (STO), des milliers de jeunes rejoignent les maquis : cachés loin des villes, ils préparent la Libération, armes à la main.

1943 : Antoine de Saint-Exupéry publie *Le Petit Prince*.

● Otages et déportés

En 1941, en réponse aux attentats des résistants, les Allemands fusillent des otages pris au hasard dans la population. En 1942, la Gestapo torture, tue, déporte les résistants vers l'Allemagne.

En juillet 1942, à la demande d'Hitler, le gouvernement de Vichy organise de gigantesques rafles de juifs français et étrangers. 150 000 d'entre eux, dont de nombreux enfants, seront déportés et mourront dans les chambres à gaz des camps de la mort.

Aux côtés des troupes anglaises et américaines, des Canadiens, des Néo-zélandais, des Français des Forces françaises libres débarquent sur les plages d'Arromanches.

1944 : LA LIBÉRATION

Le 6 juin 1944, les Alliés débarquent en Normandie. Au même moment, la Résistance se mobilise. L'occupant se bat avec acharnement, mais massacre aussi les maquis du Vercors ou des villages entiers comme celui d'Oradour-sur-Glane.

Le 20 juillet, Paris se soulève ; deux jours plus tard, les chars du général Leclerc entrent dans la ville. Le 25 juillet, le général de Gaulle descend les Champs-Élysées. Paris est libéré, mais la guerre ne s'arrête qu'avec la capitulation allemande, le 8 mai 1945.

Les queues devant les magasins s'allongent, des tickets d'alimentation sont distribués par famille. Les plus fortunés achètent au marché noir clandestin des produits vendus dix fois plus cher.

1946-1958, la IVᵉ République

Les années d'après-guerre sont des années difficiles : il faut reconstruire le pays, la vie politique est agitée. La IVᵉ République a su moderniser l'économie, mais ne résiste pas aux drames de la décolonisation.

LES RÉFORMES DE LA LIBÉRATION

Dès la fin de la guerre, le gouvernement entreprend des réformes très importantes : la Sécurité Sociale assure une protection à presque tous, certains secteurs de l'économie sont nationalisés : l'énergie (Charbonnages de France, EDF), les transports (Air France), les grandes banques (Société Générale, BNP, Crédit Lyonnais), l'automobile (Renault).

1944, la ville de Saint-Lô en ruine.

● La guerre d'Indochine

L'Indochine, colonie française, a été occupée par les Japonais pendant la guerre. En 1945, les communistes indochinois organisent un soulèvement, les Japonais sont chassés et l'indépendance est proclamée. Mais la France refuse de perdre sa colonie. En novembre 1946, la guerre commence. En mai 1954, l'armée française est battue à Diên Biên Phû. Le gouvernement de Pierre Mendès France accepte alors la décolonisation. L'Indochine devient indépendante.

Grande première : les femmes obtiennent le droit de vote !

La France ne parvient pas à venir à bout de la guérilla menée par un ennemi insaisissable.

LA IVᵉ RÉPUBLIQUE, UN RÉGIME INSTABLE

En 1944-1945, un gouvernement provisoire dirigeait la France. En 1946, le vote d'une nouvelle constitution fonde la IVᵉ République. Ce nouveau régime est fragile : de nombreux partis se disputent le pouvoir. En 12 ans, 25 gouvernements se succèdent. Aucun d'entre eux n'arrive à résoudre les difficultés du moment. Le plus grave de tous les problèmes est alors l'agitation dans les colonies.

1956 : Brigitte Bardot fait sa première grande apparition au cinéma dans *Et Dieu créa la femme*.

LA RECONSTRUCTION

En 1945, la France est ruinée, très affaiblie. Le ravitaillement manque. La reconstruction s'opère grâce à l'intervention de l'État, qui stimule l'économie, et à l'aide financière américaine (appelée le plan Marshall). En 1950, on retrouve le niveau de production d'avant-guerre. Mais les logements manquent cruellement.

● La guerre d'Algérie

L'Algérie était française depuis plus d'un siècle. En 1954, les partisans de l'indépendance déclenchent des attentats contre les Français. Pour écraser la révolte, le gouvernement envoie l'armée. En 1956, les attentats meurtriers se multiplient. L'armée, de son côté, pourchasse impitoyablement les rebelles. En 1958, la guerre longue et coûteuse provoque une crise politique et le général de Gaulle est rappelé au pouvoir : la Quatrième République est morte.

1955,
Saint-Lô
reconstruit.

DANS LES ANNÉES 1950...

Révolution dans la cuisine avec le Pyrex (verre incassable).

La télévision fait ses débuts et le transistor apparaît en 1953.

On s'arrache les journaux pour enfants : le *Journal de Mickey*, *Tintin*, *Spirou*, la *Semaine de Suzette*.

La 2 CV conquiert les campagnes.

Le livre de poche apparaît (1953).

Georges Brassens

Georges Brassens, Jacques Brel, Yves Montand, Charles Aznavour, débutent dans la chanson.

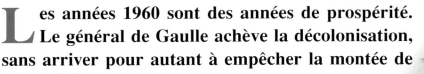

Les années 1960 sont des années de prospérité. Le général de Gaulle achève la décolonisation, sans arriver pour autant à empêcher la montée de l'opposition.

DES INSTITUTIONS EFFICACES

En 1958, lors de son retour au pouvoir, le général de Gaulle met au point une nouvelle constitution qui crée la Vᵉ République. Le pouvoir du président est renforcé ; à partir de 1962, il sera élu par tous les Français. Le parlement voit son rôle réduit. Ainsi, des gouvernements plus stables pourront conduire des politiques suivies. Ce régime est toujours le nôtre.

Près d'un million de « pieds-noirs », familles françaises installées en Algérie parfois depuis 100 ans, doivent être rapatriés.

LA DÉCOLONISATION ET LA FIN DE LA GUERRE D'ALGÉRIE

La plupart des pays d'Afrique noire obtiennent pacifiquement leur indépendance en 1960. La solution de la crise algérienne sera plus compliquée. La guerre d'Algérie, douloureuse et sanglante, s'achève avec les accords d'Évian en 1962. L'Algérie devient indépendante. Au total, la guerre d'Algérie a fait près de 30 000 morts du côté français et peut-être dix fois plus chez les Algériens.

LES « TRENTE GLORIEUSES »

Entre 1945 et 1973, la France, comme les autres pays occidentaux, connaît près de trente années de croissance économique spectaculaire. Les paysages, les activités, les mentalités se trouvent complètement bouleversés. Jamais le pays n'a aussi rapidement changé.

LES NOUVEAUTÉS DES ANNÉES 1960

Une nouvelle bande dessinée bien de chez nous : *Astérix* (1959)

Les premières télévisions en couleurs (1967)

Le Concorde (1969) : un avion supersonique révolutionnaire.

le général de Gaulle

● « Une certaine idée de la France »

Profitant de cette croissance, le général de Gaulle, très attaché à la grandeur de la France, dote le pays de la bombe atomique et développe les industries de pointe en décidant la construction des premiers ordinateurs français.

Sylvie Vartan, Françoise Hardy, des vedettes qui font un tabac dans les années 1960.

● Mai 1968

En 1968, une grande vague de contestation secoue le monde ; la jeunesse s'ennuie et veut faire évoluer la société. Le 11 mai 1968, au Quartier latin, à Paris, des étudiants dressent des barricades. Les affrontements avec la police sont si violents que le mécontentement s'étend à tout le pays. Les ouvriers se mettent alors en grève. Toute l'activité du pays est paralysée. En juin, des accords salariaux et de nouvelles élections mettent fin à l'agitation.

APRÈS DE GAULLE, POMPIDOU

De Gaulle, président de la République depuis 1959, démissionne un an après les événements de mai 1968.

Georges Pompidou

Pompidou, qui a été pendant 6 ans son premier ministre, lui succède. Il meurt en cours de mandat, en 1974.

1963 : Johnny Hallyday au concert de *Salut les copains* (une revue pour les jeunes), place de la Nation à Paris.

La France depuis 1974

Depuis plus de vingt ans, la France connaît de sérieuses difficultés économiques. Le chômage s'accroît, usant le pouvoir des présidents successifs. Pendant ce temps, l'Europe se construit et ses relations avec le monde s'intensifient.

CRISE ÉCONOMIQUE ET MONTÉE DU CHÔMAGE

Depuis 1973, une grande crise économique touche tous les pays occidentaux. Elle a commencé par une crise pétrolière : le prix du pétrole a brusquement quadruplé. Parallèlement, la croissance économique s'est ralentie et le chômage n'a cessé d'augmenter : 300 000 chômeurs en 1973, 3 millions aujourd'hui (10 fois plus).

Les femmes obtiennent plus de droits.

DANS LES ANNÉES 1980-1990,...

En décembre 1985, Coluche crée les *Restos du Cœur* qui serviront 200 000 repas par jour pendant trois mois. Le mouvement est lancé.

LA MONTÉE DES OPPOSITIONS

Giscard d'Estaing, élu président de la République après la mort de Pompidou, fait voter des mesures pour rendre la société plus libérale. On devient majeur à 18 ans (au lieu de 21 auparavant), l'avortement est légalisé. La crise économique qui se développe déclenche des mécontentements et permet à la gauche de se regrouper.

1992 : Jeux olympiques d'hiver à Albertville.

1981-1995 : LES ANNÉES MITTERRAND

François Mitterrand est élu Président en 1981 puis réélu en 1988. Pour la première fois depuis vingt-trois ans, la gauche gouverne. Mais, situation tout à fait nouvelle, la droite et la gauche se partagent le pouvoir : à deux reprises (entre 1986 et 1988, puis entre 1993 et 1995), le Président, qui est de gauche, doit accepter un gouvernement de droite. C'est ce que l'on appelle la cohabitation.

● Les réformes

Dès 1981, le nouveau gouvernement entreprend des réformes : la peine de mort est abolie, la retraite passe de 65 à 60 ans, les Français obtiennent une cinquième semaine de vacances.

● Ouverture au monde

Pendant toute cette période, la France s'ouvre comme jamais sur l'Europe et le monde. La Communauté européenne se renforce, passant de 9 à 15 membres ; l'économie de la France et celle de ses partenaires sont de plus en plus liées. Les entreprises, qui se sont beaucoup modernisées, fabriquent, vendent et achètent dans le monde entier.

Les vêtements et les chaussures de sport font la mode.

En 1982 naît Amandine, le premier bébé-éprouvette français.

L'Angleterre n'est plus vraiment une île, le tunnel sous la Manche la relie à la France.

JACQUES CHIRAC PRÉSIDENT

Jacques Chirac

En mai 1995, Jacques Chirac est élu président de la République. Huit mois plus tard, François Mitterrand meurt. Le nouveau Président doit relever deux défis : la lutte contre le chômage, l'approfondissement de la construction européenne.

● La révolution des communications

Aujourd'hui, on assiste à une explosion des moyens de communication. Ordinateurs, Minitel, télévision par satellite, téléphones portables, télécopieurs (fax), on peut recevoir et envoyer très vite des informations dans le monde entier.

François Mitterrand, pendant la campagne électorale de 1981. Le parti socialiste a pour emblème la rose.

Combien de Français ?

En 1995, la France compte 58 millions d'habitants (20ᵉ rang mondial). Un habitant de la planète sur 100 est français. La population française s'accroît très lentement (0,5 % par an) et vieillit.

DES ZONES PLEINES, DES DÉSERTS

Avec 105 habitants par km² , la France apparaît moins peuplée que bon nombre de pays voisins (329 habitants par km² en Belgique). Mais la population est très inégalement répartie : trois Français sur quatre habitent dans les villes.

Les densités les plus fortes se rencontrent sur les littoraux et dans les vallées des grands fleuves. Les régions de montagne sont délaissées.

● Quelques chiffres

Espérance de vie

1830
37 ans   39 ans

1950
54 ans   59 ans

1995
73 ans   81 ans

En un an, sur 1 000 habitants, on a enregistré :

1850
27 naissances

1930
19 naissances

1995
12 naissances

23 décès

17 décès

9 décès

Le nombre de décès diminue... le nombre de naissances aussi.

EN 1996, SUR 100 FRANÇAIS :

allo?

26 ont entre 0 et 19 ans | 59 ont entre 20 et 64 ans | 15 ont 65 ans et plus

DU BABY-BOOM AU BABY-KRACH

De 1945 à 1962, la population française est passée de 40 millions d'habitants à 52 millions. Cet accroissement s'explique par une forte natalité : plus de 800 000 bébés sont nés, chaque année, durant cette période. C'était le baby-boom. Depuis 30 ans, le nombre de jeunes diminue, comme dans tous les pays d'Europe (travail des femmes, crise économique). En 1994, on a enregistré 708 000 naissances seulement. C'est le baby-krach !

LE MAMY-BOOM

Grâce aux progrès de la médecine et à l'amélioration des conditions de vie (meilleure nourriture, plus de confort et d'hygiène), la mortalité a régulièrement baissé depuis un siècle (sauf pendant les guerres). Les Français vivent plus longtemps, le nombre des personnes âgées augmente. Un Français sur sept a plus de 65 ans.

LES BÉBÉS NE MEURENT PLUS...

En 1850, sur 1 000 bébés, 150 mouraient avant un an. En 1996, ils ne sont plus que 6 sur 1 000 à connaître ce triste sort.

● **Les Françaises sont solides !**
Il y a deux fois plus de Françaises âgées de 80 ans que d'hommes du même âge. La doyenne du monde est française. Elle s'appelle Jeanne Calment. Elle a vu le jour le 21 février 1875 ! Jeanne Calment se surnomme joliment elle-même : « l'oubliée de Dieu ».

La famille

La famille française a beaucoup changé depuis une vingtaine d'années : moins de mariages, plus de divorces. De nouvelles familles, plus compliquées, sont en train de naître.

LA FAMILLE TRADITIONNELLE

Dans les années 1970, un modèle familial dominait : on se mariait jeune, vers 24 ans pour les hommes, 22 ans pour les femmes ; on avait deux enfants, parfois plus ; les divorces étaient rares (1 couple sur 15).

un arbre généalogique

toi

Il y a 25 ans, la majorité des femmes arrêtait de travailler au deuxième enfant. Aujourd'hui, 3 femmes sur 4 travaillent.

LES TENDANCES ACTUELLES

La vie familiale évolue. Les jeunes hésitent à fonder une famille. Ils se marient plus tard (28 ans pour l'homme, 26 ans pour la femme) ; ils se marient moins aussi : un enfant sur trois naît de parents non mariés (1 sur 14 en 1970). Les femmes mettent au monde leur premier enfant vers 28 ans (24 ans en 1970). Les couples sont plus fragiles : un couple sur trois se sépare.

● Portraits de familles

Aujourd'hui, les familles nombreuses (3 enfants et plus) sont plutôt rares, il y a davantage de familles éclatées, de familles monoparentales (un seul parent élève ses enfants) et de familles recomposées (des couples élèvent des enfants nés de précédents mariages). Les couples sans enfant restent rares : 9 femmes sur 10 ont des enfants.

● La famille française évolue

1850 : 3 familles sur 4 habitent dans des villages. Dans la maison vivent plusieurs générations : les grands-parents, un ou plusieurs de leurs enfants qui ont eu à leur tour environ 5 enfants.

1996 : 3 Français sur 4 habitent en ville. Les grands-parents ont eu 2 ou 3 enfants. Chacun vit séparément, a 1 ou 2 enfants à son tour. De la famille élargie, on est passé à la famille noyau (parents/enfants).

tes arrière-
grands-parents

tes grands-parents

tes parents

La famille demeure
le refuge préféré
des Français : deux personnes
sur trois estiment que
c'est le seul endroit
où l'on se sente bien et détendu !
Les publicitaires utilisent
largement cet idéal de la famille.

● Solidarités familiales

La famille joue un rôle essentiel dans la vie des Français. Les jeunes quittent de plus en plus tard le domicile de leurs parents : à 22 ans, un jeune sur deux habite encore avec eux (études longues, chômage).
Les grands-parents, retraités dynamiques, aident leurs enfants et petits-enfants.

NOS AMIES LES BÊTES

En Europe, les familles françaises sont parmi celles qui accueillent le plus d'animaux domestiques. 35 % des familles ont un chien et 20 % un chat.

Record battu toutefois par les Irlandais pour les chiens (dans 40 % des familles) et par les Belges pour les chats (accueillis dans 25 % des familles).

La mosaïque France

La France a de tout temps été une terre d'accueil. Un Français sur six a un parent ou un grand-parent d'origine étrangère. Actuellement, la crise économique rend plus difficile l'intégration des nouveaux venus.

UN BRASSAGE DE POPULATION ANCIEN

Depuis le XIXᵉ siècle, la France fait appel à des travailleurs étrangers. À partir de 1890, Belges et Italiens viennent travailler dans l'agriculture et l'industrie. Après la Première Guerre mondiale, le pays manque de bras ; des Polonais, des Russes et des Espagnols s'installent en France. Entre 1950 et 1973, la France recrute massivement des étrangers pour l'industrie. Depuis le début de la crise économique, en 1974, les frontières sont fermées et l'immigration presque arrêtée.

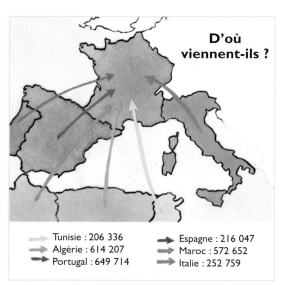

D'où viennent-ils ?

→ Tunisie : 206 336
→ Algérie : 614 207
→ Portugal : 649 714
→ Espagne : 216 047
→ Maroc : 572 652
→ Italie : 252 759

● **Une chance pour la France**
Après deux ou trois générations, les migrants s'assimilent et ne se distinguent plus des autres Français. La France a retiré de nombreux avantages de ces migrations : une main-d'œuvre abondante et peu payée, une population jeune, une plus grande ouverture au monde.

● **Une mosaïque de traditions**
La majorité des enfants d'immigrés deviennent français mais restent liés à leur groupe d'origine. Africains comme Antillais se disent « blacks », les Maghrébins « beurs », c'est-à-dire arabe prononcé à l'envers. Beaucoup oublient la langue de leur famille mais demeurent attachés aux traditions religieuses, musicales ou gastronomiques.

HORIZONS MULTIPLES

Les Européens du Sud (Italie, Espagne, Portugal) se sont installés dans les années 1950 et 1960. Les Maghrébins (Algériens, Marocains, Tunisiens), arrivés dix ans plus tard, ont ensuite été rejoints par leurs familles. Les arrivants les plus récents viennent d'Afrique noire, d'Asie et d'Europe de l'Est.

QU'EST-CE QU'UN IMMIGRÉ ?

Les immigrés sont des personnes nées hors de France, étrangères ou ayant acquis la nationalité française pendant leur vie. La France compte 4,13 millions d'immigrés en 1990, soit 7,4 % de la population totale.

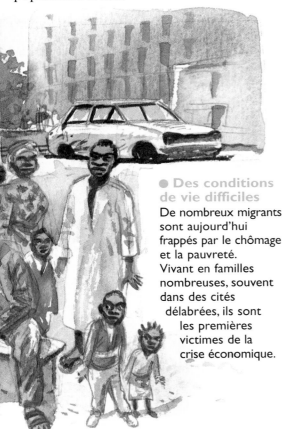

● **Sur 100 arrivés en 1994 :**

15 demandent l'asile politique,

60 viennent retrouver leur famille,

25 ont un travail permanent.

● **Des conditions de vie difficiles**

De nombreux migrants sont aujourd'hui frappés par le chômage et la pauvreté. Vivant en familles nombreuses, souvent dans des cités délabrées, ils sont les premières victimes de la crise économique.

● **Comment devient-on français ?**

Avant 18 ans, il faut être né en France d'un parent français. Les jeunes nés en France de parents étrangers ou vivant en France depuis plus de cinq ans peuvent, entre 16 et 21 ans, devenir français s'ils le demandent.

ILS SONT DEVENUS DES GLOIRES FRANÇAISES

Marie Curie
(1867-1934),
née en Pologne,
prix Nobel de physique

Marc Chagall
(1887-1985),
né en Russie,
peintre

Yves Montand
(1921-1991),
né en Italie,
chanteur et acteur

Yannick Noah,
né en 1960
au Cameroun,
joueur de tennis

MC Solaar,
né en 1969
au Tchad,
chanteur

La France des villages

Les villages français sont très nombreux : (30 000 communes comptent moins de 2 000 habitants). Ils connaissent des situations contrastées : alors que les villages les plus éloignés des villes dépérissent, les autres attirent de plus en plus les citadins.

Un village provençal.
Les rues étroites
abritent du soleil et du vent.

Dans le sud de la France,
les vieux bourgs
sont perchés
sur les buttes.
Ils sont
parfois
fortifiés.

DES MILLIERS DE VILLAGES DIFFÉRENTS

Dans l'Est et le Nord, régions de campagne ouverte, les maisons se groupent autour du centre du village. Seules quelques fermes sont dispersées. Dans l'Ouest et le Sud-Ouest, pays de bocages, l'habitat est éparpillé en fermes isolées et en hameaux. Le centre du village ne rassemble qu'une partie des habitants. En pays de vignobles, les maisons se tassent les unes contre les autres pour laisser le plus de place possible à la vigne.

● Les citadins aux champs

Les campagnes situées à proximité des villes voient leur population augmenter rapidement. Il s'y construit des lotissements habités par des personnes qui travaillent en ville. Plus l'agglomération est proche, plus ces villages-dortoirs se multiplient. 12,5 millions de personnes vivent ainsi, on les appelle des « rurbains ».

Il devient difficile de distinguer où finit l'agglomération
et où commence la campagne.

SERVICES DISPONIBLES DANS LES VILLAGES

Moins de 100 habitants : aucun service. Les villages isolés se dépeuplent progressivement. Ils n'abritent plus que 2 millions de personnes. Les commerces ferment, faute de clientèle. Le ramassage scolaire emmène les enfants dans l'école du village voisin.

100 à 500 habitants : café, école, messe hebdomadaire

500 à 1 000 habitants : poste, école, artisans, café, boulangerie, épicerie, boucherie, messe hebdomadaire

1 000 à 2 000 habitants : tous les services prédédents, plus... médecin, pharmacien, notaire, vêtements, chaussures, librairie, collège. Le village devient un bourg.

Un village-rue lorrain : derrière les maisons collées, s'étendent les vergers de pruniers.

LA CREUSE...

... est le département le plus rural de France : 77 % des habitants vivent à la campagne.

Armagnac, une bastide de Gascogne bâtie au Moyen Âge : le plan est géométrique, la grande place carrée.

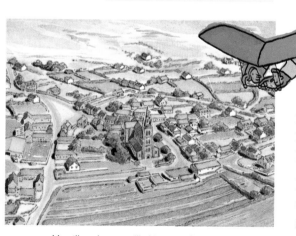

Un village breton : l'habitat est dispersé.

LA FRANCE PROFONDE CHANGE

Il y a 60 ans, plus de la moitié des Français vivait à la campagne. La majorité d'entre eux cultivait la terre. Actuellement, un Français sur quatre habite en milieu rural. Dans les villages, les ouvriers et les retraités sont plus nombreux que les agriculteurs. La télévision, le téléphone, la voiture, dont les ruraux sont bien équipés, rapprochent les villageois des citadins. Les modes de vie se ressemblent davantage.

Les maisons de nos régions

La moitié de la population vit en maison individuelle. Mais, alors qu'autrefois les constructions variaient selon les régions, les maisons récentes se ressemblent beaucoup.

MAISONS D'HIER

Jadis, les maisons servaient de lieu de travail et d'habitation. Les activités s'organisaient autour d'une cour (maisons-cours) ou étaient regroupées dans le même bâtiment (maisons-blocs). L'aspect des constructions variait selon les productions agricoles : greniers à foin des régions d'élevage (les Alpes), caves et celliers en pays de vignobles (Bourgogne). On construisait avec les matériaux locaux : bois des chalets savoyards, briques dans le Nord, craie de Touraine, granit breton. Ces constructions traditionnelles constituent un patrimoine très diversifié.

● **Des habitations de mieux en mieux équipées**
En 1950, 87 % des logements n'avaient ni W-C ni salle de bains. Aujourd'hui, ils ne sont plus que 9 % dans ce cas. Les vieilles maisons sont progressivement restaurées, parfois transformées en maisons de vacances pour les citadins.

Pays de Caux
Maison-cour : bâtiments dispersés dans une cour en herbe, plantée de pommiers, protégés par une double rangée d'arbres.

Mas provençal
Toit en tuiles, faible pente, murs en pierre, aveugles au nord (mistral), petites fenêtres (chaleur), cyprès au nord pour protéger du mistral, platanes au sud pour la fraîcheur de l'ombrage.

façade tournée vers l'est pour éviter les pluies d'ouest

colombages peints en rouge sombre

nom de la famille et date de construction au-dessus de la porte

Maison basque

toits pentus

toits plats

tuile canal — ardoise — lauze — tuile panne — tuile écaillée — tuile plate

● **Des toits adaptés aux régions**
La forme des toits dépend du climat :
toits à faible pente en Provence où
il ne pleut guère, toits pentus en Bretagne
où les pluies sont abondantes.

LE PAVILLON ROI

Depuis
40 ans,
les cons-
tructions
de maisons
individuelles
se multiplient. Elles sont généralement
confortables, disposent d'un garage et
d'un jardin. Mais ces habitations se ressemblent toutes : mêmes matériaux,
mêmes plans, à la campagne comme en
banlieue. Elles uniformisent les paysages.

Les **habitations
troglodytes** ont été
creusées dans un calcaire
tendre de la vallée
de la Loire, le tuffeau.
Ces grottes sont
aujourd'hui utilisées
comme résidences
secondaires, mais
aussi pour
conserver le vin
ou cultiver les
champignons.

MAISONS RURALES D'AUJOURD'HUI

La maison n'est plus que le lieu
d'habitation. Les bâtiments d'exploitation sont délaissés : on
construit de nouveaux hangars pour
le matériel, on remplace les greniers par des silos.

Chalet savoyard

Paris d'hier

Capitale depuis **Philippe Auguste**, Paris est de très loin la ville la plus importante de France. Elle n'a cessé, en dix siècles, de s'agrandir et de se transformer de façon spectaculaire.

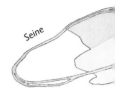

Seine

PARIS AU MOYEN ÂGE

Au XIIe siècle, Paris est la plus grande ville d'Occident. Elle s'entoure de remparts (Paris reste fortifié jusqu'en 1928). Le centre se trouve dans l'île de la Cité, là où résident le roi et l'archevêque. La construction de Notre-Dame commence. Les Halles s'installent dans le quartier du même nom. Les marchandises circulent par la Seine. Les étudiants et leurs maîtres s'enracinent au Quartier latin, parmi les couvents et les vignes.

LE PARIS D'HAUSSMANN

Au XIXe siècle, l'empereur Napoléon III, choqué par l'aspect de Paris, encore médiéval, surpeuplé, insalubre (11 500 morts du choléra en 1853), prompt à la révolte, décide d'en faire une grande ville moderne et sûre. Le préfet de la Seine, Haussmann, s'attaque à un gigantesque programme qu'il réalisera en 16 ans (1853-1869). Jamais dans son histoire, Paris ne s'était transformé aussi vite et aussi profondément.

1828 : les premiers autobus s'appellent des omnibus, ce sont des diligences, tirées par des chevaux et contenant 14 personnes.

● **Une ville sale**
Paris ne ressemble pas du tout à la ville actuelle. Les rues, boueuses et nauséabondes, servent d'égouts, les animaux y circulent au milieu des charrettes ; les maisons, en bois, accueillent des boutiques et des ateliers au rez-de-chaussée. La ville gardera longtemps ce visage.

● **Paris fait peau neuve**
Haussmann rase des quartiers entiers, fait construire des gares, des immeubles, et ouvre 160 kilomètres de voies nouvelles. Les larges rues sont recouvertes d'asphalte et bordées de trottoirs plantés d'arbres. Le réseau d'égouts couvre toute la ville. Des espaces verts sont créés dans chaque quartier. Paris prend le visage que nous lui connaissons aujourd'hui.

Arc de Triomphe

Opéra

centre Beaubourg

Notre-Dame

place des Vosges

☐ Paris au Moyen Âge

☐ Paris sous Louis XIII (XVIIᵉ siècle)

☐ Paris aujourd'hui

● La marque des chefs d'État

Les chefs d'État cherchent à embellir Paris. Ainsi, par exemple, Henri IV édifie la place des Vosges à partir de 1605. Napoléon III ordonne, en 1862, la construction de l'Opéra. Georges Pompidou avec le centre Beaubourg, puis François Mitterrand avec les grands travaux impriment aussi leur marque.

POPULATION DE PARIS

1328 :   200 000 hab.
1801 :   546 000 hab.
1876 : 2 000 000 hab.
1921 : 2 900 000 hab.
1990 : 2 200 000 hab.

● Bravo monsieur Poubelle

En 1884, le préfet de la Seine, Eugène Poubelle, impose l'usage de boîtes destinées à évacuer les ordures ménagères. Elles porteront son nom.

1957 : début de la construction du boulevard périphérique, achevé en 1973.

1900 : première ligne de métro : Vincennes-Maillot.

PARIS DEPUIS 1945

Dans les années 1950 et 1960, Paris est saisi d'une fièvre de construction. La banlieue s'étend également très rapidement. Les Halles de Paris, principal marché de la capitale depuis huit siècles et demi, sont transférées à Rungis. À partir de 1974, cette urbanisation sauvage est peu à peu contrôlée : on restaure des quartiers anciens comme le Marais, les transports en commun se développent.

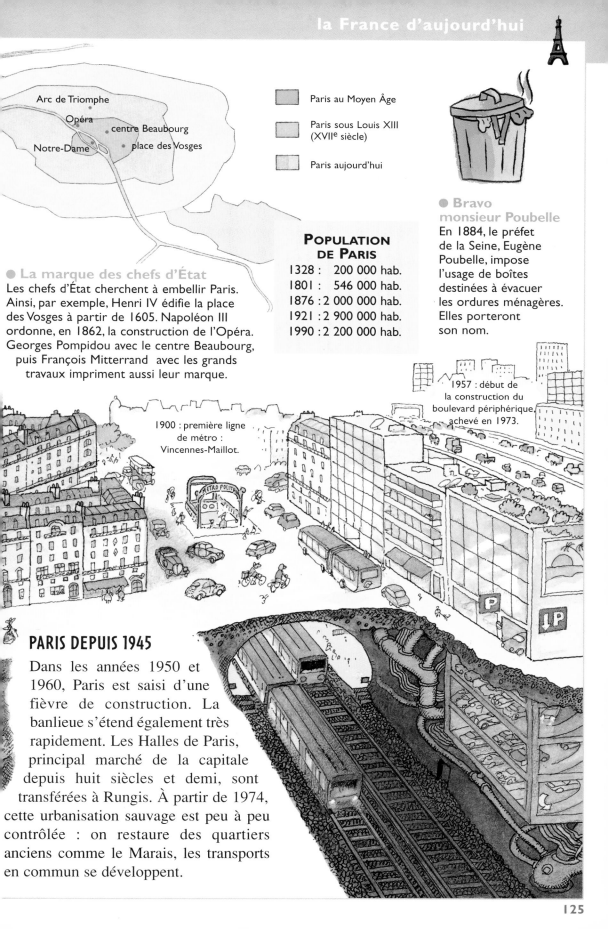

Paris d'aujourd'hui

L'agglomération parisienne compte 9,5 millions d'habitants. C'est la 9e ville du monde. Capitale politique, artistique et économique du pays, Paris concentre tous les pouvoirs et exerce son influence sur la France entière.

UNE EXCEPTIONNELLE CONCENTRATION D'ACTIVITÉS

Paris est la capitale politique : le gouvernement, les ambassades y siègent. C'est aussi la capitale intellectuelle : 30 % des étudiants français, 75 % des journalistes, 50 % des chercheurs s'y rassemblent. Paris domine enfin l'activité économique : 50 % des sièges des entreprises, 90 % des sièges des banques s'y trouvent. Aucune autre capitale européenne, sauf peut-être Londres, ne tient une place aussi importante dans la vie d'un pays.

Les Franciliens consacrent en moyenne 1 h 12 par jour aux transports.

LES GRANDS TRAVAUX

1972	tour Maine-Montparnasse
1977	Centre culturel Georges-Pompidou
1982-86	Cité des sciences et de l'industrie
1986	gare d'Orsay transformée en musée
1987	ministère des Finances-Bercy
1988-92	pyramide du Louvre
1989	opéra Bastille
1990	Grande Arche de la Défense
1996	Très Grande Bibliothèque

● **Paris se vide, la banlieue s'étend**

La population de Paris diminue. Entre 1954 et 1990, la ville a perdu 700 000 habitants, soit l'équivalent de l'agglomération bordelaise. Pendant la même période, la banlieue parisienne augmentait de plus de 2 millions d'habitants et devenait 4 fois plus peuplée que la capitale.

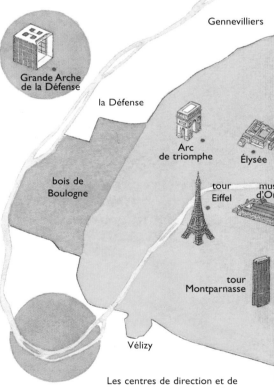

Les centres de direction et de recherche sont regroupés à l'ouest (Vélizy, la Défense, Orsay...).

● **Une immense ville, difficile à organiser**

Le prix élevé des terrains et l'encombrement amènent à construire toujours plus loin du centre, ce qui entraîne d'énormes déplacements : plus de 20 millions par jour, dont 60 % s'effectuent en voiture.

QUELQUES RECORDS

- Le monument le plus haut :
  la tour Eiffel (320 m).
- L'immeuble le plus haut :
  la tour Montparnasse (210 m).
- Le plus grand stade : le Parc des Princes,
  50 000 places.
- La plus grande salle : le palais omnisports
  de Bercy, 17 000 places.
- La maison la plus ancienne : 3, rue Volta,
  3e arrondissement (XIVe siècle).

● Paris et les sept départements voisins

9,3 millions d'habitants :
19 % de la population
française sur
2,2 % du
territoire !
L'agglomé-
ration s'étend
sur 35 kilomètres
du nord au sud
et sur 45 kilomètres
d'est en ouest. Elle
constitue un immense carrefour
de transports : trains, autoroutes, aéroports.
Depuis 30 ans, on tente de s'adapter à sa croissance : amélioration des transports (RER : réseau
express régional), création de cinq villes nouvelles,
protection des bois pour maintenir une ceinture
verte autour de la capitale.

77	Seine-et-Marne		93	Seine-Saint-Denis
78	Yvelines		94	Val-de-Marne
91	Essonne		95	Val-d'Oise
92	Hauts-de-Seine		—	limite de l'agglomération parisienne

Roissy-Charles-de-Gaulle

Les activités indus-
trielles se concentrent
au nord et à l'est
(exemple :
Aulnay-sous-Bois).

Cité des
sciences
et de
l'industrie

Aulnay-sous-Bois

-Cœur

Centre
culturel
Georges-
Pompidou

Bourse

Notre-
Dame

opéra
Bastille

ministère
des Finances

bois de
Vincennes

Très Grande
Bibliothèque

développement
de nouveaux quartiers

PARIS, VITRINE DE LA FRANCE

La ville de Paris a un rayonnement mondial, elle est la première ville du monde pour les congrès et les salons spécialisés. Riche en monuments et en musées (plus de 100), lieu de création artistique, Paris constitue un pôle mondial de l'art et de la culture. Onze millions de touristes étrangers y séjournent chaque année. Paris fascine aussi par ses activités de luxe, en particulier la haute couture.

● Les quartiers

Le centre abrite de nombreux services
(banques, commerces, administrations).
À l'ouest, se trouvent les quartiers aisés ; à l'est,
les quartiers populaires en pleine rénovation.

Le grand Bassin parisien

Le Bassin parisien est une vaste cuvette couvrant un quart du territoire. Il réunit 20 millions d'habitants en Île-de-France, Picardie, Champagne-Ardenne, Centre, Haute-Normandie, et dans une partie du Pays-de-la-Loire (Sarthe), et de la Bourgogne (Yonne, Nièvre).

LA PREMIÈRE RÉGION AGRICOLE D'EUROPE

Les campagnes du Bassin parisien forment l'espace agricole le plus riche de l'Union européenne. Les exploitations peuvent mesurer plusieurs centaines d'hectares et produire plus de cent quintaux de céréales à l'hectare ! C'est aussi une zone de cultures délicates, maraîchères, fruitières ou florales.

● Les villes nouvelles

Pour éviter les déséquilibres entre Paris et le reste de la région, le gouvernement a créé à partir des années 1960 des villes nouvelles (Cergy-Pontoise, Évry, Saint-Quentin-en-Yvelines et Marne-la-Vallée). Ces villes nouvelles ont attiré la population mais encore trop peu d'entreprises et d'emplois, obligeant les Franciliens à venir quotidiennement travailler à Paris.

HAUTE-NORMAN

Étretat

pont de Normandie

maison normand

Le Havre

Rouen

pont de Tancarville

Giverny

les jardins du peintre Monet

Ch

cathédrale

PAYS-DE-LA-LOIRE

Le Mans

La Beauce

les 24 heures automobiles

statue de Jean d'Arc

Loire

Blois

Villandry

Tours

les jardins

À L'OUEST

Habitants et activités industrielles se concentrent dans la vallée de la Seine. Le Havre est le deuxième port français de marchandises. De là, les navires remontent la Seine pour approvisionner les usines en matières premières. Pour permettre le passage des navires jusqu'à Rouen, on a créé des ponts suspendus : le pont de Tancarville, le pont de Normandie.

UNE RÉGION DE POIDS

Première région industrielle et agricole de France, le Bassin parisien est la troisième région économique de l'Union européenne. Mais cette immense région souffre de la toute-puissance de la capitale : dans un rayon de 150 kilomètres autour de Paris, on ne trouve ainsi qu'une seule grosse agglomération, celle d'Orléans.

Amiens

rosace

Charleville-
Mézières

Arthur Rimbaud

Sedan

drale

PICARDIE

Laon

porte de Mars

forteresse

ses
ues

château

Pierrefonds

Reims

Chantilly

CE

parc Astérix

CHAMPAGNE-
ARDENNE

champagne

Paris

Eurodisney

château

Fontainebleau

Troyes

église champenoise

Sens

Colombey-
les-Deux-Églises

Seine

Orléans

trésor
de la cathédrale

chapiteau
de la basilique

la croix
de Lorraine

castor

Gien

Vézelay

CENTRE

ogne

faïence

Bourges

Nevers

BOURGOGNE

festival
de musique

UNE TRANSFORMATION SPECTACULAIRE

Les plateaux de la « Champagne pouilleuse » sont devenus, après le défrichement et l'emploi massif d'engrais, une riche région de grandes cultures (céréales, betteraves à sucre et luzerne). La région est pourtant peu peuplée : les machines remplacent les hommes.

Où poussent les petits légumes surgelés ou en conserve ? Autour d'Amiens, les légumes de plein champ sont une spécialité picarde.

LA DÉCENTRALISATION

Pour de nombreuses entreprises, s'installer dans la capitale a longtemps paru vital. Mais, à partir de 1960, les encombrements parisiens, le coût des bureaux ont poussé beaucoup d'entre elles à partir en banlieue ou même à se délocaliser dans les grandes villes de la périphérie du Bassin parisien comme Rouen ou Amiens.

● **Vivre au calme**

Plutôt que de subir les encombrements quotidiens de la banlieue vers Paris, de nombreux citadins décident de quitter la capitale. Tout en continuant à travailler à Paris, ils vont vivre au calme, à plus de cent kilomètres, dans des villes moyennes comme Chartres, Orléans ou Troyes.

Le Nord et l'Est

le Shuttle

Dunkerque

Calais NORD-
PAS-DE-CALAIS

Boulogne-
sur-Mer

*Flandre
maritime*

gare du

Le Touquet

Lens

char à voile

La France du Nord et de l'Est est une région d'industries anciennes. Elles sont aujourd'hui en crise mais le Nord comme l'Est ont un atout : ce sont deux régions-carrefours qui s'ouvrent de plus en plus sur le reste de l'Europe.

LE NORD, UNE RÉGION EN DIFFICULTÉ

Autrefois, on appelait le Nord le « pays noir », le pays du charbon et du fer. Mais depuis 1960, les industries traditionnelles (textile, extraction de charbon, sidérurgie) sont en crise. En 1990, le dernier puits de charbon a été fermé à Oignies. Les licenciements massifs ont touché les villes industrielles : Dunkerque, Valenciennes, Roubaix, Tourcoing. Aujourd'hui, le chômage reste plus élevé dans le Nord que dans le reste de la France.

France   Suisse   Allem

● **Des frontières ouvertes**
La France du Nord-Est a aujourd'hui d'intenses relations avec les États voisins : l'Allemagne, la Belgique, le Luxembourg et la Suisse. 50 000 Alsaciens traversent la frontière chaque jour pour aller travailler en Allemagne ou en Suisse où les salaires sont plus élevés. À l'ouest, la Manche n'est même plus un obstacle grâce au tunnel.

Strasbourg est une capitale européenne avec le siège du Parlement européen, du Conseil de l'Europe et de la Cour internationale des Droits de l'homme.

ALSACE

L'étroite plaine alsacienne est cultivée avec soin comme un jardin, et produit des fruits, des légumes… Sur les coteaux s'est développé un vignoble de grande qualité. Vieille région industrielle, l'Alsace se tourne vers l'électronique. Elle devient une région pilote pour l'implantation des investissements étrangers, comme l'entreprise japonaise Sony, qui produit des lecteurs de disques compacts à Ribeauvillé.

LA LORRAINE, UNE RECONVERSION DIFFICILE

L'exploitation des mines de fer continue en Lorraine, mais les industries métallurgiques sont menacées par la concurrence internationale. À Hagondange, un parc de loisirs (Walibi Schtroumpf) remplace les aciéries. Autrefois très actives, les vallées des Vosges voient elles aussi décliner leurs vieilles industries, comme le textile.

usine sidérurgique

À Lille, la réalisation d'un grand centre d'affaires Euralille, près de la gare TGV, donne à la ville (960 000 habitants) une dimension européenne.

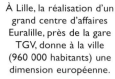

La Redoute

Renault

anciennes mines de charbon

● **Les atouts de la reconversion**

Malgré les difficultés, la présence d'industries de main-d'œuvre, comme l'industie automobile, a permis la conversion industrielle (Renault à Douai). Les activités se déplacent vers les ports, comme Dunkerque, où arrivent les minerais importés moins chers. Grâce à la vente par correspondance, le textile a su, de son côté, se moderniser. La Redoute, les Trois-Suisses ont ainsi entièrement informatisé leurs services de livraison.

BELGIQUE

LUXEMBOURG

la Moselle

ALLEMAGNE

BOURGOGNE

Région carrefour, la Bourgogne a un double visage : à l'ouest, des plateaux boisés peu peuplés ; à l'est, un très riche vignoble produisant des vins connus dans le monde entier (comme le pommard ou le vosne-romanée).

la Meuse

Hagondange

Verdun   Metz

parc Walibi

LORRAINE

ALSACE

le Rhin

cimetière militaire

Nancy

Strasbourg

eaux minérales

place Stanislas

tramway

usine Sony

images d'Épinal

Vosges

Vittel

Ribeauvillé

Colmar

Contrexéville

musée de l'automobile

abbaye de Fontenay

le lion de Belfort

Belfort   Mulhouse

Montbéliard

statue de Vercingétorix

Alise-Sainte-Reine

Côte-d'Or   Dijon

la Saône

FRANCHE-COMTÉ

SUISSE

BOURGOGNE

Besançon

usine Peugeot

forteresse Vauban

ski de fond

tuiles vernissées

FRANCHE-COMTÉ

Pays de forêt et d'élevage, la Franche-Comté est aujourd'hui une région où l'activité industrielle est intense autour de Montbéliard et Belfort, notamment grâce à la puissante entreprise Peugeot.

Clairvaux

cascades du Hérisson

La France de l'Ouest

Ces régions ont longtemps été isolées du reste du pays. Elles sont aujourd'hui mieux reliées grâce au développement des axes routiers et au TGV Atlantique. Très agricoles, ces régions sont la première zone d'élevage et de pêche du pays. Elles connaissent aussi un vrai démarrage industriel.

La Bretagne du Nord possède le champ sous-marin d'algues le plus vaste d'Europe.

île de Bréhat

un calvaire

BRETAGNE

Le Mont-

Brest

château de Josselin

pointe du Raz

Rennes

pays bigouden

Pont-l'Abbé

Concarneau

Josselin

La forêt de Paim est aussi la légen forêt de Brocélia de l'enchanteur M

Lorient

les alignements

Carnac

chalutier

Guérande

port industriel

Nant

St-Nazaire

salins

ÊTRE BRETON

La Bretagne n'a été rattachée à la France qu'à la fin du Moyen Âge. Même s'ils se reconnaissent totalement Français, les Bretons sont toujours fortement attachés à leurs traditions, leur culture. Le breton est encore parlé en famille à la campagne et on peut l'apprendre à l'école.

l'île de Noirmoutier, un ancien repaire de pirates

Les S

île de F

L'aquaculture (huîtres, moules, algues) en Vendée, Charente, Bretagne est en pleine croissance.

● Une vie côtière animée

La pêche est active dans les ports bretons. La moitié des poissons français y est capturée. Mais les bancs de poissons s'appauvrissent et la concurrence européenne fait baisser les prix de vente. La pêche est en crise.

● L'estuaire de la Loire

Nantes, avec un demi-million d'habitants, est une grande ville industrielle où l'on trouve des industries agroalimentaires, des constructions mécaniques, ainsi que des industries de pointe. À l'embouchure de la Loire, le port de Saint-Nazaire est aujourd'hui le dernier chantier naval français.

● Le tourisme sur la côte atlantique

Le littoral des pays de Loire et la côte vendéenne sont devenus une zone touristique en plein essor grâce à de grandes stations balnéaires, comme La Baule au nord ou Les Sables-d'Olonne au sud.

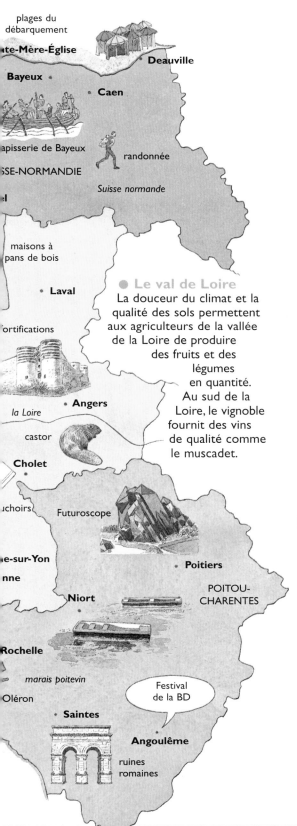

plages du
débarquement

te-Mère-Église

Deauville

Bayeux

Caen

apisserie de Bayeux

randonnée

SSE-NORMANDIE

Suisse normande

maisons à
pans de bois

Laval

● Le val de Loire

La douceur du climat et la
qualité des sols permettent
aux agriculteurs de la vallée
de la Loire de produire
des fruits et des
légumes
en quantité.
Au sud de la
Loire, le vignoble
fournit des vins
de qualité comme
le muscadet.

ortifications

la Loire

castor

Angers

Cholet

uchoirs

Futuroscope

e-sur-Yon

nne

Poitiers

Niort

POITOU-
CHARENTES

Rochelle

marais poitevin

Oléron

Festival
de la BD

Saintes

Angoulême

ruines
romaines

● **Le dynamisme touristique**

La beauté des côtes sauvages fait de la Bretagne la deuxième zone touristique de France après le Midi. Le tourisme ne se développe pas autour de grands centres comme en Aquitaine ou en Languedoc, mais autour de petites stations familiales.

UNE PUISSANTE AGRICULTURE

Producteurs de légumes, les agriculteurs bretons se sont tournés vers l'élevage intensif : élevage laitier ou élevage industriel de volailles ou de porcs. Mais, pour se moderniser, beaucoup d'éleveurs se sont trop endettés. La production massive de viande fait chuter les cours et leurs revenus. Enfin, l'élevage industriel multiplie les déchets polluants rejetés dans le sol ou les rivières, comme le lisier (excréments d'animaux), dégradant ainsi la qualité de l'eau.

L'INDUSTRIE BRETONNE

Très liée à l'agriculture, l'industrie agroalimentaire s'est fortement développée avec la transformation de la viande et du lait. La Bretagne a aussi bénéficié de la décentralisation d'entreprises autrefois installées à Paris. Rennes, premier centre industriel de la région, a vu se développer l'industrie automobile, l'électronique. Des entreprises de télécommunications se sont installées à Lannion. Enfin, Brest reste un pôle d'industries militaires.

Le grand Sud-Est

Carrefour entre le nord et le sud du pays, la région Rhône-Alpes est la deuxième région économique française. Tourné vers la Méditerranée, le Midi développe aujourd'hui le tourisme, les activités d'échanges et les hautes technologies.

LYON, UN CARREFOUR VERS L'EUROPE

Lyon, ancienne capitale de la soie, est un grand centre industriel. À côté du textile, des constructions mécaniques et de la chimie, la ville développe les activités de recherche, les industries pharmaceutiques et électroniques. Plaque tournante des transports dans la vallée du Rhône, Lyon est en relation étroite avec la Suisse et l'Italie par les vallées alpines. Elle est la seule ville de province qui puisse, dès maintenant, jouer un rôle européen.

LA VALLÉE DU RHÔNE

Très agricole, la vallée du Rhône développe, à l'est, des vignobles de qualité comme les côtes du Rhône, et produit fruits et légumes vendus sur les marchés de Cavaillon ou d'Avignon. La vallée est enfin un axe de circulation majeur où se côtoient autoroute, ligne TGV et transports fluviaux sur le Rhône.

Les Alpes et la Méditerranée sont les destinations préférées des touristes français et étrangers.

LE BOOM DU MIDI

Depuis trente ans, le soleil du Midi a attiré un grand nombre d'entreprises. La région a, du coup, connu une forte croissance de sa population. Grâce à l'essor du tourisme, des industries de pointe et des activités de recherche, les villes comme Nice ou Montpellier se sont fortement développées. Désormais, de la Côte d'Azur au Languedoc, tout le littoral est densément occupé.

En souvenir de la bête du Gévaudan, loup gigantesque qui terrorisa la Lozère au XVIIIe siècle, on élève aujourd'hui des loups près de Marvejols.

Marvejols

la bête du Gévaudan

les arènes gallo-romaines

le pont

le quartier Antigone

LANGUEDOC-ROUSSILLON

Béziers

Carcassonne

Narbonne

la ville fortifiée

mer Méditerranée

la Cerdagne

Perpignan

Ceret

le petit train jaune

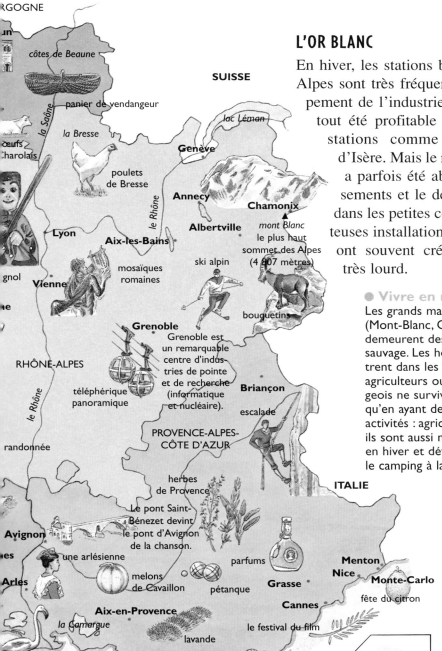

BOURGOGNE

côtes de Beaune

panier de vendangeur

la Saône

la Bresse

bœufs charolais

poulets de Bresse

Lyon

Aix-les-Bains

espagnol

Vienne

mosaïques romaines

le Rhône

ski alpin

Annecy

Chamonix

mont Blanc
le plus haut
sommet des Alpes
(4 807 mètres)

SUISSE

lac Léman

Genève

Albertville

Grenoble

Grenoble est
un remarquable
centre d'indus-
tries de pointe
et de recherche
(informatique
et nucléaire).

RHÔNE-ALPES

le Rhône

téléphérique
panoramique

randonnée

PROVENCE-ALPES-
CÔTE D'AZUR

bouquetins

Briançon

escalade

herbes
de Provence

Le pont Saint-
Bénezet devint
le pont d'Avignon
de la chanson.

Avignon

Nîmes

une arlésienne

Arles

melons
de Cavaillon

Aix-en-Provence

la Camargue

lavande

flamands
roses

Marseille

Toulon

parfums

pétanque

Grasse

Cannes

le festival du film

Saint-Tropez

Menton
Nice

Monte-Carlo

fête du citron

ITALIE

Bastia

CORSE

statue
de Napoléon

Ajaccio

L'OR BLANC

En hiver, les stations bien enneigées des Alpes sont très fréquentées. Le développement de l'industrie touristique a surtout été profitable à de très grandes stations comme Tignes ou Val-d'Isère. Mais le milieu montagnard a parfois été abîmé par des lotissements et le déboisement. Enfin, dans les petites communes, les coûteuses installations de sports d'hiver ont souvent créé un endettement très lourd.

● **Vivre en montagne**
Les grands massifs alpins, (Mont-Blanc, Oisans, Belledonne) demeurent des espaces de nature sauvage. Les hommes se concentrent dans les vallées. Autrefois agriculteurs ou ouvriers, les villageois ne survivent aujourd'hui qu'en ayant deux ou trois activités : agriculteurs-éleveurs, ils sont aussi moniteurs de ski en hiver et développent, l'été, le camping à la ferme.

UNE MONTAGNE DANS LA MER

La Corse, « l'île de Beauté », a conservé sa langue et une identité culturelle forte, mais le tourisme ne suffit pas à faire vivre ses 250 000 habitants. Les industries sont rares. Certains réclament l'indépendance de l'île, par tous les moyens.

● **Marseille**
Le sud de la Provence, d'Aix-en-Provence à la mer, est devenu l'immense banlieue de Marseille. La « cité phocéenne » (du nom de ses anciens fondateurs grecs) a un long passé industriel. Mais les chantiers navals, la sidérurgie connaissent de graves difficultés. La ville maintient son activité grâce au trafic de gaz et de pétrole.

Le Centre et le Sud-Ouest

Aujourd'hui très peu peuplé, le Massif central a été vidé par l'exode rural. Cet ensemble de hauts plateaux et de vieilles montagnes est marqué, en Auvergne, par la présence de volcans éteints. C'est une des régions les moins développées de France, mais aussi une des plus sauvages.

LE SUD-OUEST

Pays où il fait bon vivre, le Sud-Ouest est une zone de tourisme et d'industrie dynamique. Mieux reliée à l'axe nord-sud grâce au TGV, la région multiplie les contacts avec les industries espagnoles de Catalogne.

LES ATOUTS DE L'AGRICULTURE

Très agricole, le Sud-Ouest dispose de trois grands atouts : la forêt des Landes exploitée pour son bois, le plus grand bassin ostréicole (élevage des huîtres) d'Europe et les vignobles, qui ont un rôle majeur avec des vins mondialement connus comme le château Margaux ou le château d'Yquem.

DES PAYS D'ÉLEVAGE

Le Limousin, l'Auvergne et les Causses ont une longue tradition agricole. Ce sont surtout des régions d'élevage : à l'est, on élève les bœufs gras du Charolais ; à l'ouest, les vaches limousines. Au sud, c'est le pays du mouton. Le lait des brebis donne un des plus célèbres fromages français : le roquefort.

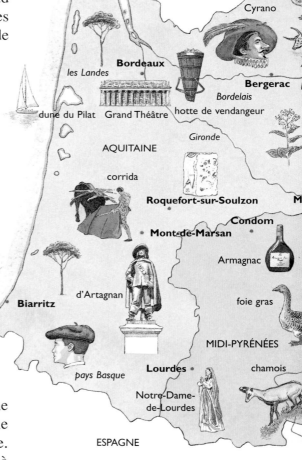

océan Atlantique

Oradou

oies du Périgord

Cyrano

Bordeaux

les Landes

Bergerac

Bordelais

dune du Pilat Grand Théâtre hotte de vendangeur

Gironde

AQUITAINE

corrida

Roquefort-sur-Soulzon   M

Condom

Mont-de-Marsan

Armagnac

un surfeur

d'Artagnan

foie gras

Biarritz

MIDI-PYRÉNÉES

Lourdes   chamois

pays Basque

Notre-Dame-
de-Lourdes

ESPAGNE

● **Bordeaux,**
une tradition de commerce
Grand port, bien abrité au fond de l'estuaire de la Gironde, Bordeaux est aujourd'hui une ville d'industrie et de services. Elle s'appuie sur un arrière-pays très riche grâce à son vignoble.

Montluçon

ruines
de la Seconde
Guerre mondiale

fabrique de vielles

Vichy

AUVERGNE

eau
minérale

Aubusson

Clermont-Ferrand

...oges porcelaine

Michelin, spécialiste
mondial du pneu

LIMOUSIN

Mont Dore (1885 m)

truffes

Massif central

...s Eyzies

Le Puy-en-Velay

...e Lascaux

Vierge noire
d'Auvergne

Conques

abbaye
de Sainte-Foy

...hors . pont Valentré

gorges du Tarn

les Causses

rafting

abbaye

Albi

Toulouse-
Lautrec

industries
...louse aéronautiques

Castres

Montpellier-le-Vieux

...s cathare

Tarascon

vautour
d'Égypte

...rincipauté
...'Andorre

DES INDUSTRIES
TRADITIONNELLES

Industrie de la porcelaine à
Limoges, tapisseries à Aubusson,
fabriques de gants à Millau, ces
activités sont en déclin. Seule
Clermont-Ferrand maintient l'activité industrielle grâce à Michelin,
spécialiste mondial du pneu.

● Des régions isolées

Les communications restent
très difficiles dans le Massif
central. Clermont-Ferrand
est relié par l'autoroute
à Paris et Lyon mais, pour
aller de Limoges à Lyon
en train, il vaut mieux
passer par Paris.

Les régions du Centre se vident de leurs habitants.
Les jeunes quittent les premiers les villages
par manque de travail. Faute d'enfants, les écoles
ferment, puis les commerces disparaissent
à leur tour : peu à peu les villages sont désertés.

● Basques
et Pyrénéens

À l'extrême sud-ouest,
le pays Basque a gardé son
originalité, sa langue étonnante
(apparentée au hongrois et au finlandais). Mais
le tourisme reste à développer, surtout dans les
vallées pyrénéennes. Dans des zones naturelles
préservées, on trouve les derniers ours bruns
de France.

● Toulouse

L'agglomération de Toulouse (650 000 habitants)
est un grand pôle industriel et universitaire,
spécialisé dans les industries aéronautiques et
spatiales. C'est ici que sont fabriqués les Airbus
et les systèmes électroniques de satellites.
Mais Toulouse, ville d'histoire et de culture,
est également le plus grand centre culturel
du Sud-Ouest.

Les autoroutes

Les autoroutes, gérées par des sociétés, assurent la liaison rapide de tous les points du territoire. Reliées aux grands réseaux routiers européens, elles permettent à la France d'être au cœur des relations de l'Union européenne.

DES ROUTES ET DES SERVICES

Les autoroutes ne sont pas seulement des routes plus grandes ou plus rapides que les autres. Elles permettent surtout de voyager dans d'excellentes conditions de sécurité : voies séparées selon le sens de circulation sans carrefour dangereux, présence de piétons ou de vélos interdite. Aujourd'hui, la France a le deuxième réseau d'autoroutes en Europe, après l'Allemagne.

À l'entrée de Lyon, sur l'A 43, un ensemble de caméras reliées à un ordinateur repère tout accident en moins de 15 secondes.

● Une intense surveillance

Le personnel des autoroutes surveille le trafic grâce notamment à des patrouilleurs sur le réseau et des caméras vidéo. Il informe les automobilistes d'incidents ou de bouchons par l'intermédiaire de panneaux lumineux et de la radio autoroutière (FM 107.7).

Les autoroutes françaises à péage

Lille
Le Havre
Rouen
Paris
Strasbourg
Rennes
Nantes
Tours
Lyon
Clermont-Ferrand
Bordeaux
Grenoble
Bayonne
Toulouse
Nice
Montpellier
Marseille

— Autoroutes
······ Autoroutes en cours de construction

station-service

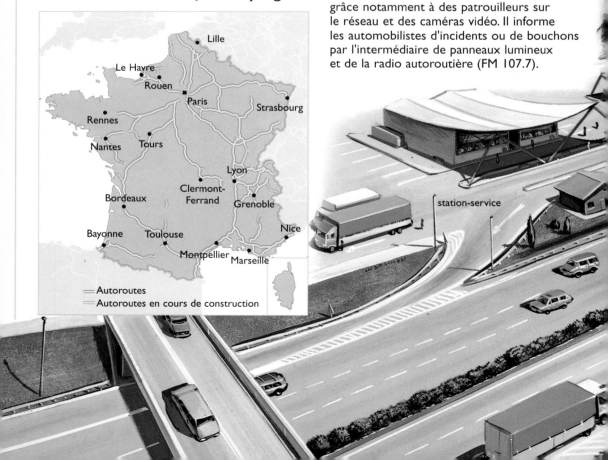

PROTÉGER L'ENVIRONNEMENT

Une grande attention est accordée à la réalisation des plantations et au choix des végétaux,

Passage pour animaux sauvages

afin de mettre en valeur l'environnement. Les eaux de ruissellement des chaussées sont récupérées et traitées. Ceci évite qu'elles ne polluent les rivières ou les nappes souterraines dans lesquelles elles sont rejetées. Des passages pour les animaux sauvages permettent une traversée sans risque des cerfs, chevreuils et sangliers, ainsi que des espèces plus petites.

● Le péage

Le péage demandé aux usagers sert à rembourser les frais de construction, et finance l'entretien et les dépenses liées à la surveillance du réseau.

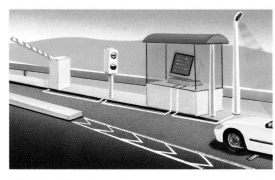

Télépéage. Grâce à un ordinateur, une antenne et un badge apposé sur la vitre de la voiture, on passe le péage à 80 kilomètres/heure.

centre d'exploitation

péage

aire de repos

panneau lumineux

15 H 14 – 23°

La construction d'une autoroute coûte une véritable fortune : 30 millions de francs pour un kilomètre !

PARIS 10

bretelle

UN TRAFIC INTENSE

Les autoroutes permettent la circulation d'un flux considérable de véhicules ; près de 500 millions de véhicules empruntent chaque année les 6 400 kilomètres du réseau autoroutier. Parmi eux, un sur cinq est un poid lourds. Lors des grands départs, l'on compte jusqu'à 7 200 voitures par heure aux grands péages.

La France agricole

Depuis 1945, l'exode rural a vidé les campagnes, l'agriculture s'est modernisée. La France est aujourd'hui une grande puissance agricole, mais ses paysans souffrent de l'endettement et de la surproduction.

LA FIN DES PAYSANS ?

Depuis 1950, trois agriculteurs sur quatre ont quitté la terre. Les conditions de travail difficiles, les revenus très faibles ont poussé beaucoup d'entre eux à partir travailler en ville. Actuellement, on compte à peine plus d'un million d'agriculteurs dans toute la France.

AGROALIMENTAIRE ET TRADITION

Beaucoup d'agriculteurs produisent pour des grandes surfaces ou des industriels de l'alimentation. Ils se lancent dans une production massive et à bas prix, dans l'élevage industriel de poulets, de porcs ou de veaux. À l'opposé, certains exploitants renoncent à la production en grande quantité et renouent avec des produits traditionnels comme les fromages ou les vins de terroir. Les agriculteurs peuvent ainsi continuer à vivre et à travailler au pays. Ces produits de terroir sont plus chers mais plus naturels.

harengs

porcs

bovins

lait

volaille

sardines

huîtres

vignes

tournesol

fleurs

maïs

vignes

thons

tournesol

maïs

moutons

● **La mécanisation**
Dans les années 1980, des machines de récolte spécialisées apparaissent : machines à aspirer les salades, égreneuses automatiques de raisin, vibreurs permettant de récolter en quelques secondes les fruits d'un cerisier.

PRODUIRE PLUS...

Récolte dans un champ de blé
1960 : 26 quintaux par hectare
1995 : 69 quintaux par hectare

Production de lait d'une vache
1960 : 2 000 litres par an
1996 : 4 500 litres par an

PÊCHEURS EN COLÈRE

Comme les paysans, les pêcheurs ont dû s'endetter lourdement pour se moderniser. Aujourd'hui, la concurrence étrangère fait chuter les prix du poisson et met en péril l'activité des grands ports de pêche français comme Boulogne ou Concarneau.

blé
betteraves
umes
porcs
lait
tournesol
blé
blé
betteraves
vignes
vignes
légumes
moutons
vins
vignes
fruits
légumes
volaille
moutons
légumes
fleurs
fruits
vignes
huîtres
thons

UNE AGRICULTURE SCIENTIFIQUE

En trente ans, des variétés de blé à haut rendement ont été mises au point et on a développé des races bovines produisant plus de viande, de lait.

Aujourd'hui, les progrès de la biologie permettent d'élaborer des plantes résistant aux parasites et de limiter l'usage d'engrais chimiques polluants.

● Une agriculture à deux vitesses

Les exploitations spécialisées dans les cultures fruitières, la vigne ou les fleurs sont très productives. À l'inverse, les petites exploitations de moins de 20 hectares sont en grande difficulté. Mieux vaut avoir un seul hectare dans le vignoble de Champagne que 1 000 hectares de prairie en montagne.

Aujourd'hui, sur une exploitation de 300 hectares, il n'y a parfois qu'un seul agriculteur. Ces fermes à un homme, comme celles de la Beauce, peuvent produire en masse et exporter.

fruits
légumes

● De hauts rendements

Après 1945, les agriculteurs mécanisent leur exploitation, achètent des tracteurs et commencent à utiliser des engrais chimiques. Grâce à cette modernisation, les rendements sont devenus les plus élevés du monde.

● Mécontentement paysan

Première d'Europe, l'agriculture française connaît aussi de sérieuses difficultés. Très endettés, les agriculteurs protestent contre la concurrence de produits étrangers souvent peu chers. Croulant sous les surplus, ils déversent fruits et légumes sur les routes, mais refusent les limitations de production imposées par la Communauté européenne.

L'industrie

Grande puissance industrielle, la France se situe au 4e rang mondial après les États-Unis, le Japon et l'Allemagne. Mais face à la concurrence mondiale, l'industrie française renonce aux activités les moins rentables et supprime ainsi de très nombreux emplois.

DE GRANDES ENTREPRISES TRÈS PUISSANTES

Les grandes entreprises ont plus de 500 salariés, et parfois plusieurs dizaines de milliers comme Peugeot (PSA), Danone ou Thomson. La plupart sont privées mais certaines comme EDF, Elf ou Aérospatiale sont contrôlées par l'État. Autrefois spécialisées, ces entreprises se sont diversifiées : Bouygues, entreprise de travaux publics, possède TF1, Thomson produit des téléviseurs et du matériel de transmission militaire.

Beaucoup d'entreprises installent leurs usines dans les pays à bas salaires (Portugal, Turquie ou même en Chine).

L'ÉNERGIE

La France importe la moitié de l'énergie consommée, surtout du pétrole et du gaz. Pour limiter ces dépenses, le gouvernement a mis en place depuis vingt ans un vaste programme nucléaire. Aujourd'hui, les centrales nucléaires produisent les trois quarts de l'électricité française.

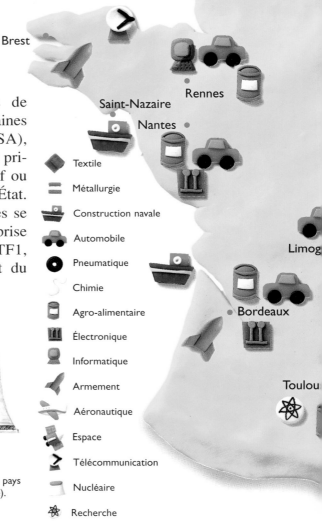

◆ Textile
═ Métallurgie
⛴ Construction navale
🚗 Automobile
● Pneumatique
Chimie
Agro-alimentaire
Électronique
Informatique
Armement
Aéronautique
Espace
Télécommunication
Nucléaire
✳ Recherche

Le Ha
Ro
Brest
Rennes
Saint-Nazaire
Nantes
Limog
Bordeaux
Toulou

● **Les grands pôles industriels**
La région parisienne est la première région industrielle française. On y trouve toutes les industries mais aussi la direction des grandes entreprises. La région lyonnaise vient en deuxième position. À l'ouest, en Bretagne et dans les pays de Loire, on trouve l'agro-alimentaire et l'électronique. Enfin, le Midi est en plein essor : la région de Toulouse avec les industries de pointe, celle de Marseille avec l'industrie chimique.

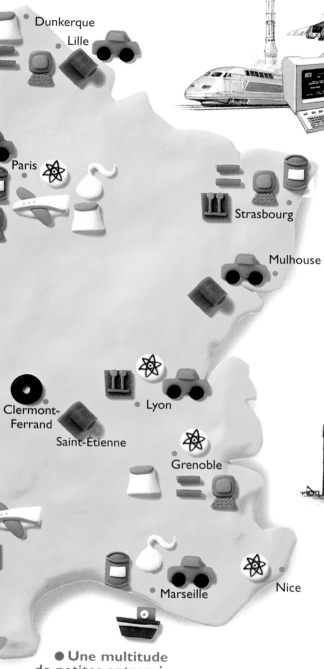

Dunkerque
Lille
Paris
Strasbourg
Mulhouse
Clermont-
Ferrand
Lyon
Saint-Étienne
Grenoble
Marseille
Nice

● **Une multitude
de petites entreprises**

Un atelier de confection de vêtements,
de sièges d'automobiles, une petite fabrique
de conserves, un bureau d'étude produisant
des logiciels sont des petites entreprises. Il y en a
en France des centaines de milliers. Elles ne réalisent
qu'une faible part de la production industrielle
mais jouent un rôle essentiel dans l'industrie française :
présentes partout, elles travaillent pour les grandes
entreprises, occupent plus d'un salarié sur deux
et créent plus d'emplois que les grandes entreprises.

DES INDUSTRIES DE POINTE

Concorde, Airbus, la fusée
Ariane, le Minitel, le TGV :
ces succès industriels montrent la bonne santé des
industries de pointe qui développent la recherche et les hautes
technologies. Ces industries, telles
l'aérospatiale, l'informatique, la
recherche pharmaceutique, l'armement ou le nucléaire, sont les
points forts de l'industrie française
et permettent d'exporter, de
vendre à l'étranger les meilleures
réalisations, comme par exemple
des centrales nucléaires installées
en Chine.

DES RECONVERSIONS DIFFICILES

Autrefois puissantes, les industries
comme le textile, l'extraction de
charbon, la sidérurgie productrice
d'acier ou les chantiers navals sont
aujourd'hui en crise, victimes de
la concurrence mondiale. Avec
elles d'anciennes régions industrielles, le Nord, la Lorraine, souffrent de brutales réductions d'emplois. L'automobile résiste mieux
en multipliant les innovations,
les nouveaux modèles comme
l'Espace de Renault, ou la Xantia
de Citroën.

La France au travail

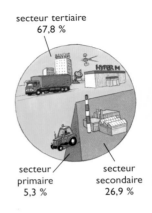

secteur tertiaire
67,8 %

secteur primaire
5,3 %

secteur secondaire
26,9 %

En un demi-siècle, les progrès techniques ont permis aux entreprises d'accroître leur productivité : elles produisent beaucoup plus, en beaucoup moins de temps, avec moins d'employés. Pour que tous puissent travailler, il faudra sans doute, dans un avenir assez proche, que chacun travaille moins.

LE TEMPS DE TRAVAIL

Autrefois, on choisissait le plus souvent un travail pour la vie. Aujourd'hui, il est fréquent de changer de travail plusieurs fois dans une carrière. Le travail, autrefois régulier, est aussi devenu très morcelé en raison des interruptions dues au chômage, du travail à temps partiel ou en intérim et du développement des stages de formation.

● Petits boulots, SDF, RMI

Livreurs de pizzas, distributeurs de prospectus, laveurs de vitres, la crise a multiplié ce genre de petits boulots : ce sont des emplois précaires, fragiles, qui ne permettent pas vraiment de sortir de la « galère ». Malgré les aides de l'État, comme le RMI (revenu minimum d'insertion), de nombreuses personnes se trouvent dans une grande pauvreté. Les plus démunis ne peuvent même pas payer un logement : on estime qu'il y a entre 200 000 et 400 000 SDF (sans domicile fixe) en France.

TROIS GRANDS SECTEURS D'ACTIVITÉ

Les activités professionnelles sont divisées en trois secteurs : le primaire rassemble les activités de production des matières premières (agriculture, pêche, mines) ; les métiers du secondaire s'occupent de leur transformation en produits de consommation ; le secteur tertiaire comprend toutes les activités de services (le commerce, les transports, la communication, l'éducation, l'administration…).

Les bureaux de l'ANPE (Agence nationale pour l'emploi) affichent régulièrement des offres d'emploi.

LA PROGRESSION DU CHÔMAGE

Avec 12 % de sa population active au chômage, la France a l'un des taux de chômage les plus élevés d'Europe. Les chômeurs sont actuellement 3 millions, soit trois fois plus qu'il y a 20 ans ! Les jeunes sont les premiers touchés : 2 chômeurs sur 5 ont moins de 30 ans.

● Sans emploi

Le chômage n'est pas seulement un accident lié à une crise économique. Les raisons expliquant le maintien d'un chômage élevé sont nombreuses. Les entreprises hésitent souvent à créer un emploi qui leur coûte très cher. D'autre part, l'informatisation et la robotisation ont supprimé des emplois. Enfin, les produits de grands pays industriels (comme l'Allemagne, le Japon, les États-Unis), mais aussi ceux des pays pauvres où la main-d'œuvre est 20 fois moins chère, font concurrence aux produits français.

DE GRANDS CHANGEMENTS

La durée du temps de travail
Elle a diminué. En un siècle, elle a presque été divisée par deux.

Les femmes au travail
Depuis trente ans, un nombre croissant de femmes se sont mises à travailler. On comptait, en 1975, 8 millions de femmes actives ; elles sont actuellement 11 millions.

Nouveaux métiers
Infographiste, scannériste, vidéaste… Beaucoup de métiers actuels n'existaient pas il y a vingt ans. De même, un grand nombre de métiers qui seront indispensables en 2010, n'existent pas encore…

● Des métiers qui disparaissent

Autrefois, chaque village avait son charron, qui fabriquait ou réparait les roues des carrioles.

Rares sont les tonneliers qui continuent à fabriquer des tonneaux de chêne pour y conserver l'alcool.

Les paysans ne portent plus de sabots de bois. L'art du sabotier est devenu une curiosité touristique.

LA RÉVOLUTION ÉLECTRONIQUE

Capables aujourd'hui d'effectuer des millions d'opérations à la seconde, les ordinateurs ont révolutionné le travail : un simple micro-ordinateur remplace un service comptable de 10 personnes dans une entreprise ; des installations gigantesques, comme une raffinerie de pétrole par exemple, peuvent aujourd'hui être pilotées grâce à un système informatique surveillé par un ou deux techniciens.

De 1950 à 1996, les Français se sont davantage enrichis que durant tout le siècle précédent. Leurs revenus ont augmenté. Ils dépensent moins pour l'alimentation mais consacrent plus d'argent à leur santé, aux loisirs et aux transports.

LA FRANCE DE 1950

La France se remet tout juste de la Seconde Guerre mondiale. La vie est alors plus difficile qu'aujourd'hui. On travaille 45 heures par semaine (39 heures actuellement), on dispose de 2 semaines de vacances (5 semaines en 1996). Seuls 25 % des Français partent en vacances (60 % aujourd'hui).

● La vie quotidienne d'après-guerre

En 1950, le choix des aliments n'est guère varié : tout l'hiver on mange des endives, des pommes de terre et des carottes. Le confort des maisons reste sommaire : peu de douches, de baignoires. Il est difficile de s'équiper : on attend un an pour obtenir une ligne de téléphone ou pour acheter une voiture neuve.

En 1950, il y avait des petits commerces pour tout, y compris pour le chauffage qui s'effectuait au charbon dans les villes.

● De nouveaux besoins

À partir de la fin des années 1960, les Français disposent de plus d'argent et de temps libre. Ils partent davantage en vacances, se soignent mieux, essaient de devenir propriétaires de leur logement. De nouveaux besoins apparaissent, pour les loisirs : on acquiert un électrophone, qu'on remplacera plus tard par une chaîne hi-fi ; on achète plus de jeux, on fait davantage de sport.

● Une vie plus facile : lave-linge et automobile

Des années 1950 à 1960, les Français peuvent consacrer une part de plus en plus grande de leur budget à de nouvelles dépenses. Ils commencent par l'équipement de la maison : les appareils ménagers se multiplient, puis les téléviseurs. Ensuite, ils achètent une voiture.

LES FRANÇAIS S'ENRICHISSENT

Des années 1950 à aujourd'hui, les revenus ont triplé. La vie quotidienne s'en trouve bouleversée. La nourriture pèse moins sur le budget et s'améliore : la margarine remplace le saindoux, la baguette, le pain au kilo. On consomme plus de viande, de légumes et de fruits.

● S'équiper…

En 1954 et en 1994, voici, sur 100 familles, combien étaient équipés en…

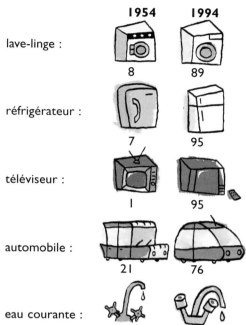

	1954	1994
lave-linge :	8	89
réfrigérateur :	7	95
téléviseur :	1	95
automobile :	21	76
eau courante :	59	99,5

DÉPENSES DES FAMILLES FRANÇAISES

	1950	1994
alimentation	44 %	19 %
habillement	16 %	7 %
logement	12 %	22 %
hygiène et santé	6 %	11 %
transports et communications	6 %	17 %
culture et loisirs	6 %	9 %
autres dépenses	10 %	15 %

En 1950, l'alimentation et l'habillement représentent les principales dépenses. Les tissus sont chers. Les vêtements sont confectionnés chez la couturière ou à la maison. Aujourd'hui, le logement, les transports et la santé occupent une part croissante des budgets.

Les Français consommateurs

L es Français « super-consommateurs » des années 1960-1970 sont devenus plus économes depuis le début des années 1990.

LES NOUVEAUX CONSOMMATEURS

Aujourd'hui, les difficultés économiques, le chômage rendent les consommateurs plus attentifs à la qualité et moins sensibles à la publicité et à la mode. Leurs achats reflètent de nouvelles préoccupations : les produits respectant l'environnement ont, par exemple, un succès croissant.

● Une autre façon de consommer

Les commandes sur catalogues permettent aux femmes actives de faire leurs choix à la maison sans avoir à courir les boutiques. De nombreux magasins ont un service Minitel : il suffit de pianoter sur le clavier pour passer des commandes.

● Où fait-on ses courses ?

Depuis longtemps, les supermarchés font concurrence aux petits commerçants. Aujourd'hui, beaucoup de consommateurs fréquentent les hyper-marchés dont le nombre a rapidement augmenté. On en comptait 245 en 1973, et un peu plus de 1 000 en 1994.

● Les enfants chéris de la mode

Cible privilégiée des publicitaires, enfants et adolescents suivent les modes, souvent lancées aux États-Unis : Reebok, Nike, Creeks, sont devenues des marques fétiches.
Les banques s'intéressent à l'argent de poche des jeunes. Avant 18 ans, on peut aujourd'hui apprendre à gérer son budget et à consommer, avec un compte chèque et une carte bancaire.

LA GUERRE DU « MEILLEUR MARCHÉ »

Les grandes marques américaines, européennes et japonaises qui règnent sur la haute technologie (hi-fi, audiovisuel) doivent aujourd'hui rivaliser avec certains pays d'Asie du Sud-Est (Malaisie, Taiwan, Viêt-nam). Ces pays, où la main-d'œuvre est très peu payée, exportent du matériel dont les prix défient toute concurrence.

Le baladeur, ou « walkman » : a été inventé par Sony en 1979.

Le CD-Rom : inventé par Philips (Pays-Bas) et Sony en 1985. Les CD-Rom de jeux rencontrent actuellement le plus grand succès.

Le micro-ordinateur : en 1994, les Français ont acheté plus d'ordinateurs que de voitures.

Bi-Bop, Itineris… ces petits téléphones ultra-légers ont été lancés par France Télécom dès 1992.

● **La voiture familiale**

Les Français « adorent » leur voiture.
Ils lui consacrent en moyenne 15 %
de leur budget annuel. Actuellement, l'image
de l'automobile évolue : les nouvelles gammes
sont plus vastes (Renault Espace, Peugeot 806).
Les petits modèles s'arrondissent
et se colorent… pour le public féminin.

LE CONFORT AVANT TOUT

Avoir un nid douillet est une priorité pour les Français. La plupart des foyers sont bien équipés et même parfois suréquipés : près de la moitié d'entre eux possèdent deux téléviseurs. 57 % possèdent un magnétoscope contre moins de 20 % en 1985 !

TWINGO N'EST PAS DU GENRE À BROYER DU NOIR.

TWINGO, À VOUS D'INVENTER LA VIE QUI VA AVEC.

PETIT CATALOGUE DES ANNÉES 1980

Ces produits n'existaient pas il y a vingt ans,
ils font désormais partie de notre vie quotidienne.

La laine polaire :
matière 100 % synthétique,
deux fois plus légère
que la laine,
a été inventée en 1984,
aux États-Unis.

La carte à puce,
ou carte à mémoire :
brevetée en 1974 par le
Français Roland Moreno.
Elle est à l'origine de la
Télécarte lancée en 1984
par France Télécom.

Les jeux vidéo :
Nintendo, Sega et Atari
lancent les consoles
de jeux en 1985.
Le succès est foudroyant.

Les rollers blade :
créés en 1980,
par deux étudiants
américains, ils sont deux
fois plus rapides
que les rollers traditionnels.

Les Post-it :
les petits papiers
qui collent sans coller
ont été créés en 1981.

L'appareil photo jetable :
le premier modèle a été
lancé par Fuji en 1986.

Le Minitel :
les premiers ont été
expérimentés en 1980.
Il existe aujourd'hui plus
de 23 000 services Minitel
disponibles.

La Swatch :
elle est apparue en 1984.
Depuis, 200 nouveaux
modèles ont été créés
chaque année.

Le rôle de l'État

Dans certains pays, comme les États-Unis ou l'Allemagne, l'État est une autorité centrale qui prend les décisions politiques et assure la sécurité du pays. En France, l'État a un rôle plus fort.

QUI DIRIGE LA FRANCE ?

● Louis XIV disait : « L'État c'est moi. » Aujourd'hui, l'État est une immense machine. À sa tête, le « chef de l'État », président de la République. Sous les ordres du gouvernement se trouvent les différentes administrations.

QUE FAIT L'ÉTAT ?

L'État représente la France à l'extérieur et fait respecter la loi à l'intérieur. Depuis le début du XXe siècle, l'État a un rôle économique puissant. Il cherche aussi à protéger les Français en multipliant les aides aux citoyens en difficulté.

● **L'État aménage le territoire**
La politique d'aménagement du territoire menée par l'État cherche à maintenir un équilibre entre les régions. Pour cela, l'État multiplie les initiatives : relier les grandes villes en ouvrant de nouvelles lignes de TGV, délimiter des parcs naturels (ils couvrent aujourd'hui 9 % du territoire), moderniser les vieilles régions rurales, ou encore améliorer la qualité de vie dans les banlieues défavorisées.

● **L'État entrepreneur**
Depuis 1945, l'État a acheté et nationalisé de nombreuses entreprises privées. Pour orienter l'activité économique, il s'est ainsi emparé de secteurs importants comme la production d'énergie (EDF, GDF), les transports (SNCF, nationalisée en 1937, Air France), les banques (Crédit Lyonnais), les grandes industries (Renault).

● **Le plus grand « patron » de France**
L'État emploie plus de 4 millions de fonctionnaires : ministres, policiers, employés d'administrations, médecins et infirmiers des hôpitaux, instituteurs et professeurs. Tous font partie du service public. Il faut y ajouter les personnes travaillant dans le secteur public, composé de quelque 2 000 entreprises gérées par l'État. En tout, une personne qui travaille sur quatre dépend de l'État.

LES DÉPENSES DE L'ÉTAT

Chaque année, à l'automne, députés et sénateurs votent le budget de l'État et la répartition des dépenses nécessaires pour payer les fonctionnaires, entretenir et construire des hôpitaux, des écoles, des logements, des routes : en 1995, l'État a dépensé près de 1,5 milliard de francs.

D'OÙ VIENT L'ARGENT DE L'ÉTAT ?

Essentiellement des impôts prélevés sur la population. Chaque année, les Français paient des impôts en fonction de leurs revenus : ce sont les impôts directs.

Il existe aussi des impôts indirects : le plus important est la taxe sur la valeur ajoutée (TVA). Cette taxe est comprise dans le prix des produits, payée par le consommateur, et reversée à l'État par le marchand. La TVA représente 40 % des recettes de l'État.

● **Un rôle contesté**

Aujourd'hui, certains critiquent ce rôle économique de l'État jugé trop coûteux : il faudrait selon eux, vendre certaines entreprises publiques comme France Télécom.

L'armée française

Leclerc mène ses hommes de l'Afrique noire à l'Afrique du Nord, puis libère Paris à la tête de ses blindés en août 1944.

Héritière d'un passé militaire glorieux, l'armée française d'aujourd'hui est moderne et de plus en plus professionnelle. La France est devenue le troisième vendeur d'armes au monde et joue un rôle clé dans la défense de l'Europe.

LE SERVICE MILITAIRE

Depuis la Révolution, l'armée française a été l'armée du peuple, tous les Français pouvant être appelés au service militaire ou mobilisés en cas de guerre. Aujourd'hui, 233 000 jeunes font un service militaire d'un an. À côté du service classique, il est possible d'être auxiliaire de police, coopérant dans un pays du tiers monde. Mais l'armée est de plus en plus l'affaire de professionnels très qualifiés. D'ici à l'an 2000, le nombre des appelés ne va cesser de diminuer.

DES ÉCOLES PRESTIGIEUSES

On réserve pour les cérémonies les uniformes de parade comme celui des Saint-Cyriens avec le képi orné de plumes de casoar...

Avant 1789, les officiers appartenaient à la noblesse. Avec la Révolution, l'armée s'ouvre à tous les milieux. Depuis cette époque, les officiers sont recrutés sur concours. La plupart sortent de grandes écoles prestigieuses (Polytechnique, École de l'air, École navale, Saint-Cyr). De simples sous-officiers « sortis du rang », remarqués pour leur valeur, peuvent également accéder aux commandements les plus élevés.

● Les uniformes

Depuis la Première Guerre mondiale, les uniformes se sont simplifiés : kaki pour l'armée de terre, bleu pour la marine et l'aviation. Marque d'égalité, l'uniforme est imposé à tous, du soldat au général.

DANS LE MONDE ENTIER

Très actifs dans la conquête coloniale, des généraux (comme Gallieni et Lyautey) ont créé, au début du siècle, un nouveau type d'officiers : militaires avant tout, ils sont parfois aussi administrateurs de région, médecins, enseignants. Héritiers de cette tradition, les militaires français sont présents dans de nombreux pays pour aider ou former les armées locales, en Afrique notamment. Ils assurent aussi des missions humanitaires, en Somalie ou en Bosnie, par exemple.

● **Rapides comme l'éclair**
À Taverny, près de Paris, à plus de vingt mètres sous terre, se trouve le commandement des forces aériennes stratégiques. Les écrans radars y détectent tous les avions survolant l'Europe. Si un avion ou un missile suspect est repéré, le président de la République est alerté. En moins de dix minutes, des Mirages 2000 décollent pour l'intercepter.

La défense d'aujourd'hui repose sur la haute technologie : avions au vol assisté par ordinateurs, missiles sophistiqués, sous-marins nucléaires silencieux.

LES GALONS, MARQUES DU GRADE

(exemples de l'armée de l'air)

aspirant (jeune officier)   sous-lieutenant   lieutenant   capitaine

commandant   colonel   les généraux ont des étoiles

adjudant   sergent-chef   1re classe

● **Une affaire d'hommes ?**
Autrefois, les seules femmes présentes dans les armées étaient infirmières ou cantinières. Actuellement, les femmes peuvent être sous-officiers, officiers. Même si elles sont peu nombreuses, des femmes officiers commandent aujourd'hui des navires de guerre, des patrouilles d'hélicoptères...

Les Français citoyens

Marianne, symbole
de la République française

L**a France est une démocratie : le peuple élit librement ses dirigeants ainsi que les députés, chargés de le représenter auprès du gouvernement. Les Français choisissent également des responsables locaux.**

VOTER POUR PARTICIPER

Régulièrement, les citoyens et les citoyennes de 18 ans et plus sont appelés à voter. C'est un droit, et aussi une occasion d'exprimer son opinion et de participer à la vie de la société.

● Le Parlement
Il est composé de l'Assemblée nationale et du Sénat. Ces deux assemblées proposent, discutent et votent les lois. Elles doivent aussi contrôler l'action du gouvernement.

● L'Assemblée nationale
Les 577 députés de l'Assemblée nationale sont élus au suffrage universel pour 5 ans. Ils peuvent renverser le gouvernement lorsqu'ils désapprouvent sa politique : il faut alors que plus de la moitié d'entre eux votent une « motion de censure ».

● Le président de la République
Le chef de l'État est élu au suffrage universel (vote de tous les Français), il nomme le Premier ministre et le gouvernement. Il définit les grandes lignes de la politique du gouvernement. Il est le chef des armées, il peut décider de l'entrée en guerre de la France et de l'utilisation de l'arme nucléaire. Sur les grands sujets, il peut proposer un référendum : tous les Français votent pour donner leur avis.

● Le Sénat
Les 321 sénateurs sont élus par les maires, les conseillers municipaux et les conseillers régionaux. S'il y a désaccord entre l'Assemblée et le Sénat, à propos d'un projet de loi, ce sont les députés qui tranchent.

le président de la République

nomme

le Gouvernement :

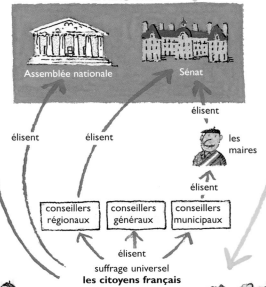

le Premier ministre

les ministres

peut dissoudre

élisent pour 7 ans

propose les lois

le Parlement :

Assemblée nationale

Sénat

fait appliquer

les lois

le budget

consulte par référendum

élisent

les maires

élisent

élisent

élisent

conseillers régionaux

conseillers généraux

conseillers municipaux

élisent

suffrage universel
les citoyens français

DES RÉGIONS AUX COMMUNES

Depuis 1982, le pays est divisé en 26 régions, 96 départements (et 4 DOM) et 36 558 communes : à chacun de ces échelons correspond un conseil d'élus.

● **Le maire**

Les habitants de chaque commune élisent pour 6 ans les conseillers municipaux, qui élisent ensuite le maire pour 6 ans. Celui-ci gère les biens de la commune, dirige la police municipale, et fait construire les écoles maternelles et primaires.

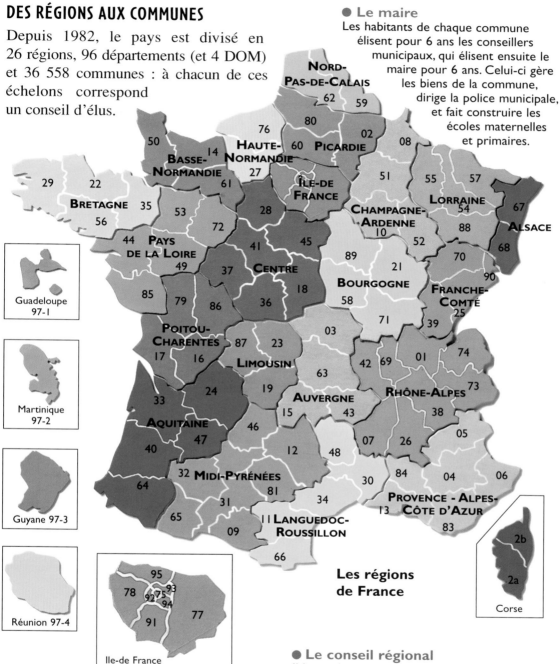

Guadeloupe 97-1

Martinique 97-2

Guyane 97-3

Réunion 97-4

Ile-de-France

Les régions de France

Corse

● **Un pouvoir décentralisé**

Depuis 1982, un grand nombre de décisions ne sont plus prises par l'État. Aux différents niveaux, les élus gèrent leurs ressources et peuvent désormais prendre les décisions. Mais cette volonté de confier plus d'autonomie à des autorités proches des citoyens ne résout pas tout. L'État décide encore du tracé des TGV et des autoroutes.

● **Le conseil régional**

Il lance des projets économiques et sociaux comme l'aide aux petites entreprises, la formation des jeunes. Il fait aussi construire les lycées.

● **Le conseil général**

Il organise l'aide sociale dans le département (logement des plus démunis, aide aux familles en difficulté...). Il s'occupe de la construction des collèges.

La France en Europe

L a France est située à l'ouest de l'Europe. L'Europe géographique est un petit territoire de 10 millions de km², à peine 7 % des terres mondiales. L'Europe est aussi un espace économique riche, peuplé de 350 millions d'habitants et formé de quinze États : l'Union européenne.

En 2002, nous échangerons nos francs contre l'Euro, une monnaie unique pour tous les membres de l'Union européenne.

LA CONSTRUCTION EUROPÉENNE

L'idée des Européens de s'unir est ancienne, mais c'est après la Seconde Guerre mondiale qu'elle est réalisée par les « pères de l'Europe » (J. Monnet, R. Schuman, K. Adenauer, A. de Gasperi). En 1957, le Marché commun permet aux produits de circuler librement. L'Europe des six (Allemagne, France, Italie, Belgique, Pays-Bas, Luxembourg) est devenue, en 1995, l'Union européenne à quinze.

● **Les échanges culturels**
Certaines villes sont jumelées avec d'autres en Europe :
les « Communes d'Europe ». Dès l'école élémentaire, des échanges se font entre classes. À l'université, les étudiants peuvent partir dans un des pays de l'Union européenne pour faire leurs études (programme ERASMUS).

L'EUROPE EN QUESTIONS

Les diplômes sont-ils équivalents ?
Un médecin français peut exercer sa profession dans n'importe quel pays européen, par exemple aux Pays-Bas (s'il parle le hollandais !).

Qu'est-ce que le Marché unique ?
Bientôt, les Français pourront comparer les prix des services européens en France et, s'ils le veulent : ouvrir un compte dans une banque suédoise, prendre un avion anglais pour aller à Toulouse, s'abonner au téléphone italien, prendre une assurance allemande.

Qui décide en Europe ?
Tous les citoyens élisent les députés européens. Le Parlement européen vote des lois. Les chefs des gouvernements nomment les membres de la Commission européenne chargés de faire appliquer ces lois dans chaque pays de l'Union.

Que veut dire être citoyen européen ?
Un agriculteur hollandais habitant dans un village de Lozère pourra voter aux élections municipales. Un artisan français pourra de même travailler et voter en Italie, par exemple.

LES SUCCÈS ÉCONOMIQUES

La réalisation économique la plus importante est l'Europe agricole. Dans les années 1960, l'Europe Verte avait pour but de fournir aux Européens des produits aux prix les plus bas et des revenus équitables aux agriculteurs.

L'agriculture française a profité du Marché commun et est devenue la première d'Europe. L'Europe Verte est une réussite, même si aujourd'hui, elle produit même trop (lait, beurre, blé).

Des agriculteurs français manifestent leur colère en détruisant des produits espagnols.

QUATRE SYMBOLES

Le drapeau

L'« hymne à la joie » de Beethoven est aussi l'hymne de l'Union européenne.

Le 9 mai 1950, le ministre français R. Schuman annonce la création de la première Communauté européenne (la CECA).

Un passeport unique permet aux citoyens de circuler librement en Europe.

LES SUCCÈS COMMERCIAUX

L'Europe est devenue la première puissance commerciale du monde. Ses partenaires commerciaux sont des pays riches (États-Unis, Japon). L'Union européenne est aussi une chance pour le commerce français : près de deux produits sur trois sont vendus ou achetés à nos quatorze partenaires.

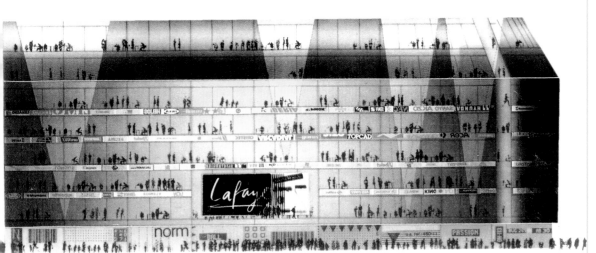

Les Galeries Lafayette, à Berlin, dessinées par l'architecte français Jean Nouvel.

La France dans le monde

La France se place, avec 551 695 km², au 46ᵉ rang mondial pour sa superficie. Sa population, 58 millions d'habitants, ne représente que 1,3 % de la population mondiale. La France a la chance d'être à la fois un pays démocratique, riche et en paix.

La France, quatrième puissance commerciale.

UNE GRANDE PUISSANCE

La France fait partie, avec la Russie, les États-Unis, la Chine et le Royaume-Uni, du Conseil de sécurité des Nations Unies (ONU). La France participe activement au respect de la paix dans le monde. C'est en France que s'est réunie la Conférence pour la paix dans l'ex-Yougoslavie en décembre 1995, et les soldats français sont nombreux en Bosnie pour faire respecter les accords de paix. La France fait partie des grandes puissances nucléaires. L'arme atomique a un rôle dissuasif : décourager les pays qui voudraient attaquer la France.

UN PAYS RICHE

La richesse totale du pays place la France au 4ᵉ rang mondial derrière les États-Unis, le Japon et l'Allemagne. La richesse agricole est ancienne, c'est le 1ᵉʳ pays agricole européen et le 2ᵉ exportateur mondial de produits agricoles. C'est une puissance industrielle moyenne comparée aux États-Unis et au Japon, mais tout de même la 4ᵉ puissance commerciale.

La recherche scientifique française est une des premières au monde. L'équipe du professeur Montagnier a réussi à isoler le virus du sida en 1984.

La France, patrie des droits de l'Homme, célèbre en juillet 1989 le bicentenaire de la Révolution française. Jean-Paul Goude met en scène un impressionnant défilé.

● Un vieux pays démocratique
La France est un des pays démocratiques les plus anciens du monde. Depuis le XIXᵉ siècle, les citoyens élisent régulièrement leurs représentants politiques. Ils sont libres de s'exprimer, de se déplacer, de se regrouper en associations.

À TRAVERS LE MONDE

… Évian, Perrier : des eaux françaises présentes aux États-Unis…

… son pain : des baguettes sont vendues sur un marché au Viêt-nam…

… ses Airbus, un grand succès commercial : 500 appareils vendus à ce jour…

… son métro : installé au Caire, en Égypte.

LA CULTURE FRANÇAISE À L'ÉTRANGER

Un concert de Jean-Michel Jarre à Hong-Kong.

Les Misérables, comédie musicale de Robert Hossein, adaptée du roman de Victor Hugo, ont connu un succès fulgurant à New York.

● **Un rôle culturel**
La culture française est connue dans le monde entier par ses écrivains (Victor Hugo, Jules Verne), ses peintres (Monet, Manet), mais aussi par son « bon goût », sa mode.

LA LANGUE FRANÇAISE

Les francophones sont les personnes pour qui le français est langue maternelle ou familière. On en compte entre 100 et 300 millions, principalement en Europe, dans le monde arabe, en Afrique et au Canada (voir la carte à la fin de l'encyclopédie). Le rôle international de la langue française est modeste, mais c'est, après l'anglais, la deuxième langue enseignée dans le monde.

La France est le premier pays d'accueil touristique du monde : la richesse de son patrimoine culturel attire plus de 100 millions de visiteurs étrangers.

UN PAYS SOLIDAIRE

La France aide les pays pauvres à se développer par des prêts, des dons et un apport technique (10 000 techniciens et enseignants sont présents en Afrique). Cette politique de coopération touche surtout l'Afrique où la France avait des colonies. Aujourd'hui, ce soutien diminue. La présence militaire (19 000 hommes) est de moins en moins importante.

LA FRANCE VEND …

Les grands couturiers (Dior, Yves Saint Laurent), ont une renommée mondiale…

… ses skis : Rossignol, leader mondial…

… ses TGV (qui détiennent le record mondial de vitesse : 515 km/h) : en Espagne, en Corée du Sud…

… ses alcools : champagne, cognac…

En aidant à la construction d'écoles et en apportant du matériel, la France permet à un plus grand nombre d'enfants d'aller à l'école.

La santé

Depuis un siècle, l'espérance de vie des Français est passée de 43 à 73 ans pour un homme et de 47 à 81 ans pour une femme. Très soucieux de leur santé, les Français détiennent le record du monde de consommation de médicaments.

La Sécurité sociale est aujourd'hui en déficit : elle distribue plus d'argent qu'elle n'en reçoit.

LA SANTÉ GRÂCE À LA « SÉCU »

Consulter un médecin, faire des examens, subir une opération, tout ceci coûte cher. Mais en France, les dépenses de santé sont en grande partie remboursées par la Sécurité sociale. Créée en 1945, la « Sécu » permet à tous d'avoir accès aux soins. Elle est financée grâce à l'argent prélevé chaque mois sur les revenus des salariés et des employeurs.

● **Le coût de la santé**
La Sécurité sociale rembourse 74 % des dépenses de santé des Français. Les maladies les plus graves sont prises en charge à 100 %. À l'hôpital, une journée d'hospitalisation coûte 3 000 F et même 8 000 F en cas d'opération. La Sécurité sociale rembourse aussi visites médicales et médicaments. Sur une ordonnance de 100 F pour l'achat d'antibiotiques, par exemple, la Sécurité sociale rembourse au malade 65 F.

UNE MÉDECINE DE POINTE

De nos jours, les techniques de pointe permettent de mieux connaître et soigner l'organisme humain. On pratique des greffes d'organes vitaux comme le cœur, le foie ou les poumons. Lors d'une opération, les chirurgiens peuvent introduire dans le corps du patient une minuscule caméra permettant, grâce à une image sur écran, de guider le déroulement de l'opération sans avoir à pratiquer une grande ouverture dans le corps.

Les Français consultent un médecin 8 fois par an, les Anglais 6 fois et les Allemands 12 fois.

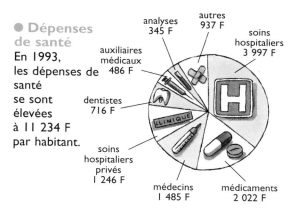

● **Dépenses de santé**

En 1993, les dépenses de santé se sont élevées à 11 234 F par habitant.

analyses 345 F

autres 937 F

soins hospitaliers 3 997 F

auxiliaires médicaux 486 F

dentistes 716 F

soins hospitaliers privés 1 246 F

médecins 1 485 F

médicaments 2 022 F

● **Recherches sur les gènes**

La déficience d'un gène provoque des maladies héréditaires comme la mucoviscidose, la myopathie, l'hémophilie... Les recherches sur les gènes et sur la transmission de ces maladies génétiques progressent.

LES MALADIES GRAVES

Les maladies qui causent le plus de décès en France sont les maladies cardiovasculaires (qui touchent le cœur ou les vaisseaux sanguins). Vient ensuite le cancer, même si les médecins savent mieux le soigner aujourd'hui. À côté de ces grandes maladies, la France connaît de graves épidémies comme le sida ou l'hépatite B. Ces épidémies touchent peu de personnes, mais elles se développent rapidement.

Les dons récoltés chaque année lors du Téléthon financent le Généthon, un laboratoire français très avancé dans la recherche génétique.

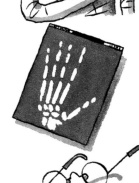

LA SANTÉ EN CHIFFRES...

En France, les médicaments sont vendus par boîtes entières. En Angleterre, en revanche, on achète exactement le nombre de comprimés dont on a besoin.

Les Français achètent en moyenne pour 1 900 F de médicaments, par an et par habitant, soit le double de ce que dépensent les Anglais.

ASSISTANCE PUBLIQUE

L'enfance et l'école

En un demi-siècle, la France a connu une véritable explosion scolaire. Aujourd'hui, tous les jeunes vont au collège, la majorité d'entre eux fréquente le lycée. Ce phénomène existe dans toute l'Europe, mais l'organisation de l'enseignement varie énormément d'un pays à l'autre.

IL Y A CINQUANTE ANS...

... l'école était obligatoire jusqu'à 14 ans. À la fin du primaire, on passait un examen, le certificat d'études. La plupart des enfants arrêtaient alors l'école. Il était difficile de poursuivre sa scolarité : un jeune sur cinq entrait au lycée, un sur vingt obtenait le bac (un sur deux actuellement).

● **Exception française**

Les écoliers français ont des programmes très lourds, de longues journées de classe (les plus longues d'Europe !), mais aussi de très longues vacances : 185 jours de congé par an. La France est le seul pays d'Europe où l'enseignement public est complètement laïque ; partout ailleurs, l'éducation religieuse est autorisée à l'école et parfois obligatoire (Allemagne).

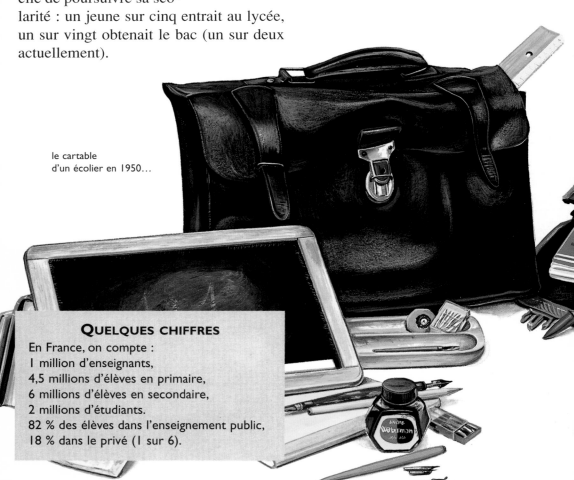

le cartable d'un écolier en 1950...

QUELQUES CHIFFRES

En France, on compte :
1 million d'enseignants,
4,5 millions d'élèves en primaire,
6 millions d'élèves en secondaire,
2 millions d'étudiants.
82 % des élèves dans l'enseignement public,
18 % dans le privé (1 sur 6).

● **Les filles sont plus studieuses que les garçons**
Pour 100 garçons qui arrivent en 6ᵉ sans redoubler, on trouve 110 filles dans le même cas. 57 % des reçus au bac sont des filles.

LE SYSTÈME SCOLAIRE FRANÇAIS

Aujourd'hui, la scolarité est obligatoire de 6 à 16 ans. Avant 6 ans, la quasi-totalité des enfants fréquente l'école maternelle. L'école primaire dure cinq ans, elle est suivie par quatre ans de collège. Ensuite, les élèves sont orientés vers l'enseignement général, technologique ou professionnel.

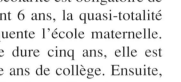

… et aujourd'hui

● **Deux types d'école**
Au Danemark, de 7 à 16 ans, les élèves reçoivent tous le même enseignement ; ils restent dans le même établissement et ne redoublent jamais. Au contraire, en Allemagne, les enfants sont orientés très tôt dans des filières. Ainsi, après quatre ans de primaire, sur trois élèves, l'un va au lycée puis à l'université, un deuxième entreprend des études techniques, un troisième reçoit une formation professionnelle avec alternance de cours et d'apprentissage en usine.

Un atelier d'enseignement professionnel

DES RECORDS DÉTENUS PAR NOS VOISINS EUROPÉENS

 Les Italiens ont les horaires les plus légers : 8 h 30 – 12 h 30.

Les Grecs ont les plus longues vacances : 190 jours par an…

 … et les Espagnols les plus courtes : 140 jours.

DIVERSITÉ EUROPÉENNE

En matière d'école, tout est différent d'un pays européen à l'autre : les filières, les programmes, les horaires, les vacances. Les pays du Sud privilégient l'enseignement des mathématiques, ceux du Nord accordent plus d'importance aux langues.

Les médias

Devançant la presse écrite, l'audiovisuel connaît un développement spectaculaire depuis vingt ans. Grâce à la diffusion par satellite, les Français ont accès aux nouvelles du monde entier. Les industries liées à l'information sont en pleine croissance.

LA TÉLÉVISION, REINE DES MÉDIAS

Loisir préféré des Français, la télévision a beaucoup changé depuis les années 1980.
À côté des chaînes appartenant à l'État, les télévisions privées sont apparues : TF1, la chaîne payante Canal +, Arte, M6 et toutes les chaînes câblées. Par satellite, les Français peuvent accéder à des chaînes étrangères.

un plateau de télévision

● Les nouveaux téléspectateurs

La multiplication des chaînes a habitué les Français à zapper d'un programme à l'autre. En même temps, les goûts changent. Au « journal de 20 heures », les téléspectateurs préfèrent de plus en plus les informations locales ; beaucoup critiquent les programmes jugés trop abrutissants et choisissent leurs émissions en les enregistrant au magnétoscope.

En moyenne, les Français regardent la « télé » plus de 3 heures par jour, ce qui représente, sur une vie, un total de 9 ans devant l'écran !

LE MULTIMÉDIA

La révolution du support électronique a commencé. Il y a en France 6,5 millions de Minitel, près de 4 millions de micro-ordinateurs, 150 000 lecteurs de CD-Rom et autant de personnes branchées sur le réseau Internet. Ce nouveau système permet de communiquer avec le monde entier, de recevoir chez soi, sur son écran d'ordinateur, des informations et des images venues des États-Unis ou du Japon en quelques minutes.

un CD-Rom

LA RADIO : UN VIEUX MÉDIA PLEIN DE SANTÉ

On a longtemps pensé que la télévision allait ruiner la radio. Pourtant la radio continue de bien se porter, elle est le média préféré des 18-25 ans, grâce aux nombreuses heures de programmes musicaux. Elle accompagne les Français à chaque moment de la vie quotidienne.

PALMARÈS DES STATIONS LES PLUS ÉCOUTÉES

RTL et les stations de Radio France *(France Inter, France Info)* qui ont su gagner la confiance des auditeurs par la qualité de leurs programmes.

● **La libération des ondes**

Depuis 1982, les radios locales privées, les radios libres, ont été autorisées. Il y a en France près de 1 500 stations, souvent regroupées en réseau, comme NRJ ou Skyrock.

LA PRESSE EN DIFFICULTÉ

Les journaux connaissent en France une grave crise. À peine un Français sur deux lit un journal chaque jour. Les grands quotidiens ont de plus en plus de mal à maintenir leurs ventes. En province, les grands quotidiens régionaux comme *Ouest France* font face, eux aussi, à la diminution du nombre de lecteurs. Peut-être est-ce à cause de la concurrence de la télévision. Pourtant, dans des pays comme le Japon ou les États-Unis, où l'on regarde beaucoup la télévision, les journaux se portent mieux.

LE SUCCÈS DES MAGAZINES

Les Français lisent davantage de magazines que de quotidiens. On compte en France 3 000 titres de magazines. La moitié sont des revues techniques ou professionnelles, mais le succès des hebdomadaires grand public comme *Paris-Match*, *le Nouvel Observateur*, *l'Express*, ou des mensuels comme *Géo* ou *Science et vie*, montre l'intérêt des Français pour les revues d'information et de loisirs.

Communications d'aujourd'hui et d

En une décennie, les télécommunications ont considérablement multiplié les moyens d'information. Tout d'abord centrés sur le téléphone, les progrès touchent désormais les mondes de l'informatique et de l'audiovisuel, et annoncent la société multimédia. France Télécom, entreprise publique, prépare activement cette communication du XXIe siècle.

TÉLÉPHONER PARTOUT

En 1955, dans un sketch célèbre, l'humoriste Fernand Reynaud ironisait sur les lenteurs du téléphone. Mais la révolution s'est vite produite. Aujourd'hui on raccorde un abonné en 48 heures, parfois à partir d'une simple demande par Minitel. Avec les technologies récentes, on peut transférer sa ligne d'un endroit vers un autre, prendre un deuxième correspondant lorsqu'on est déjà en ligne… Avec Itineris, le téléphone est devenu mobile et permet de téléphoner lors de ses déplacements en France, dans la plupart des pays européens et dans différents pays du monde.

MINITEL : LA BOÎTE MAGIQUE

Né en 1978, le Minitel a été vite adopté par les particuliers et les entreprises. Derrière le Minitel se cachent des milliers de services : annuaires, informations, vente par correspondance, aide aux devoirs, messageries… On peut consulter des services comprenant des photos et effectuer des paiements à distance grâce à Magis, doté d'un lecteur de carte bancaire. On peut aussi, à partir d'un micro-ordinateur relié au réseau téléphonique, accéder aux services du Minitel et à Internet.

DES MILLIARDS DE TÉLÉCOPIES

En 1913, Édouard Belin met au point le « bélinographe » que les journalistes utiliseront pour transmettre des photos par téléphone. Inspirée de cette invention, la télécopie (ou fax) fait son apparition dans les années 1970. En 20 ans, elle deviendra indispensable dans les entreprises et auprès de ceux qui travaillent à domicile. Facile à utiliser, la télécopie permet d'adresser en France ou à l'autre bout du monde des documents écrits, plans, graphiques, le tout en quelques secondes et au même prix que le téléphone.

Pour communiquer avec le monde entier, ce navire installe des câbles sous-marins en fibres optiques, en Méditerranée et dans l'Atlantique.

● Des fibres de lumière

Elles sont au fond des océans, elles traversent nos villes. Elles sont capables d'acheminer, à la vitesse de la lumière, 30 000 communications en même temps, des images de télévision… Elles ? Ce sont les fibres optiques, introduites dans les réseaux de télécommunication dans les années 1980. En France, le parc de fibres optiques s'élevait en 1995 à 1,6 million de kilomètres.

musée des télécommunications de Pleumeur Bodou

L'ÈRE DU SATELLITE

Les satellites de télécommunication transmettent les ondes radio-

Le satellite permet d'assurer les liaisons téléphoniques avec la Martinique, la Guadeloupe, la Guyane…

électriques utilisées pour la radio, la télévision et le téléphone à longue distance et permettent aussi la communication entre ordinateurs. Aujourd'hui, ils diffusent des « bouquets » de plusieurs dizaines de chaînes de radio ou de télévision.

● Petits messages

Absent de chez soi, injoignable au téléphone ? Il est pourtant possible de rester en contact avec son milieu de travail ou sa famille grâce aux messageries de poche. Tatoo, Alphapage, ces petits boîtiers électroniques permettent de recevoir des messages en lettres ou en chiffres émis à partir d'un téléphone ou d'un Minitel.

La religion

La France est, en apparence, un pays massivement chrétien : huit Français sur dix se disent catholiques. Toutefois, l'Église a beaucoup moins d'influence sur les comportements qu'autrefois. De nouveaux courants spirituels s'affirment.

Le palais des Papes, en Avignon.
Sept papes y régnèrent de 1309 à 1377.

UN PAYS DE TRADITION CHRÉTIENNE

Les premiers groupes de chrétiens sont apparus à Lyon, en Gaule romaine, puis la religion s'est répandue chez les Francs après le baptême de Clovis et de ses soldats, il y a 1 500 ans. Au Moyen Âge, toute la France était croyante.

LES QUATRE GRANDES RELIGIONS DE LA FRANCE D'AUJOURD'HUI

Si les catholiques sont largement majoritaires (comme en Europe du Sud), il y a d'autres religions présentes en France. Les chrétiens se divisent en deux groupes principaux : catholiques (environ 46 millions) et protestants (1 million). L'islam est la seconde religion pratiquée en France (4 millions de croyants). Le judaïsme (également une religion importante) constitue la quatrième grande religion (650 000 personnes).

christianisme   islam   judaïsme

● La religion fait partie de notre culture

Progressivement, la société française s'est détachée de la religion, mais celle-ci continue d'imprégner notre culture : par exemple, la plupart des jours fériés correspondent à de grandes fêtes chrétiennes : Noël, Pâques, l'Ascension, la Pentecôte, l'Assomption, la Toussaint.

LA FRANCE ET L'ÉGLISE »

À partir du XVIe siècle, lorsque l'Europe se divise en pays catholiques et protestants, les rois de France se rangent aux côtés du pape et de l'Europe catholique. Au XIXe siècle, le nombre de catholiques pratiquants diminue, mais l'Église garde toujours un rôle clé dans l'enseignement et l'administration des hôpitaux ; les évêques conseillent même souvent députés et ministres.

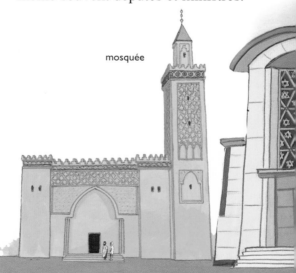

mosquée

LE LENT DÉCLIN DE LA RELIGION

La pratique religieuse a beaucoup diminué, surtout depuis les années 1960 : moins de baptêmes et de mariages religieux, moins de prêtres aussi (45 000 en 1970, 30 000 en 1993). Les recommandations de l'Église interdisant le divorce, la contraception et l'avortement ne sont guère suivies.

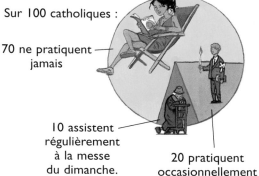

Sur 100 catholiques :

70 ne pratiquent jamais

10 assistent régulièrement à la messe du dimanche.

20 pratiquent occasionnellement

● Les nouvelles formes du sentiment religieux

Ces dernières années, on constate un regain d'intérêt pour la vie spirituelle : dans chacune des religions, des groupes de croyants éprouvent le besoin de se retrouver en communauté, de manifester leur émotion religieuse à travers des rites sacrés. De nombreuses personnes se détournent des religions traditionnelles et sont attirées par des petites communautés fermées, les sectes, qui comptent près de 200 000 adeptes et 500 000 sympathisants (Église de Scientologie, Témoins de Jéhovah…).

LA FRANCE PEU PRATIQUANTE

Voici combien de croyants pratiquent régulièrement leur religion, dans quelques pays de l'Union européenne. Sur des groupes de 100 personnes, on trouve :

Irlande 82	Italie 52	Espagne 43
Portugal 41	Allemagne 36	France 10

Chaque religion a ses lieux de culte : l'église pour les catholiques, le temple pour les protestants, la synagogue pour les juifs, la mosquée pour les musulmans. Tous sont des lieux de cérémonies et de rencontres.

église

temple

synagogue

La vie artistique et le patrimoine

La France possède un patrimoine culturel extrêmement riche et varié, qui est bien mis en valeur. Les manifestations artistiques (festivals, expositions...) sont très appréciées et attirent de plus en plus de monde.

LES MUSÉES NE SONT PLUS POUSSIÉREUX

La France compte plus de 2 500 musées, publics ou privés, ce qui la place au 4e rang mondial. À Paris, on en dénombre plus de 100, à Lyon, 19. Ces musées sont devenus des centres culturels actifs.

● Le Grand Louvre

Depuis 1981, le Louvre a été métamorphosé avec la construction de l'audacieuse pyramide de verre de l'architecte Peï. Agrandi et rénové, il est devenu le plus vaste musée du monde.

MONUMENTS LES PLUS VISITÉS
(en nombre de visiteurs par an)

la tour Eiffel : 4 millions
l'Arc de Triomphe : 900 000
le Mont-Saint-Michel : 850 000
le château de Chenonceaux : 850 000

De grands artistes français contemporains :

Isabelle Adjani
(comédienne)

Jean Dubuffet
(peintre)

César
(sculpteur)

Charles Trénet
(chanteur)

Sur 100 Français :

8 écoutent du jazz

20 écoutent du rock

50 écoutent des variétés

22 de la musique classique

LES FRANÇAIS, FOUS DE MUSIQUE

Les Français sont de grands amateurs de musique et l'apprécient sous toutes ses formes. Les jeunes se montrent les plus mordus : entre 15 et 19 ans, ils consacrent 11 heures par semaine à écouter de la musique. La fête de la Musique a lieu le 21 juin pour célébrer le début de l'été. Elle est très populaire : plus de 4 000 manifestations ont eu lieu en 1995.

LES FESTIVALS ATTIRENT LES FOULES

En mai, le festival de Cannes rassemble producteurs de cinéma et stars du monde entier. En juillet, le festival d'Avignon rassemble des troupes de théâtre françaises ou étrangères jouant dans toute la ville, parfois même dans la rue. De tout petits villages, comme Marsiac dans le Gers, accueillent eux aussi des festivals de jazz de renommée internationale.

QU'EST-CE QUE LE PATRIMOINE ?

C'est l'ensemble des œuvres du pays que l'État souhaite préserver. Aujourd'hui, on recense 13 000 édifices conservés et entretenus. Ce sont des sites préhistoriques, des églises, des châteaux, voire des ponts et des usines. 230 000 objets sont également protégés : des tapisseries, des statues, des locomotives et des voitures.

● **Exemples d'œuvres
du patrimoine culturel français**

Le phare de Cordouan, dans l'estuaire de la Gironde, est l'un des plus vieux phares de France (1606).

Ce crocodile empaillé de 3,50 mètres, emblème de la ville de Nîmes, est accroché au plafond de l'hôtel de ville. Il date de 1597.

Ce trois-mâts, le *Belem*, date de 1896. Il mouille dans le port de Nantes (Loire-Atlantique).

Une cabine du premier téléphérique de l'aiguille du Midi (1923), en Haute-Savoie.

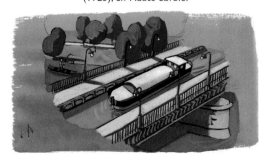

Le pont-canal de Briare (Loiret) a été construit entre 1890 et 1894 avec l'aide de Gustave Eiffel. Ce pont d'eau permet aux bateaux de franchir la Loire. Il est le plus long pont-canal métallique du monde.

Les loisirs et les vacances

Depuis 1945, le temps passé au travail n'a cessé de diminuer. On commence une activité professionnelle plus tard, on part en retraite plus tôt. L'automatisation et l'informatisation permettent aujourd'hui de travailler plus rapidement, ce qui dégage un temps libre toujours plus important.

Les Visiteurs

L'AMOUR DES VACANCES

Depuis 50 ans, les Français ont découvert les vacances. Les Français sont les Européens qui prennent le plus de vacances : huit personnes sur dix partent en congé. Les vraies vacances sont celles de l'été mais depuis quelques années, les vacanciers prennent l'habitude de partir moins longtemps mais plus souvent, tout au long de l'année.

● **Mer et soleil**
La grande majorité des vacanciers reste en France. On part d'abord pour se reposer mais de plus en plus souvent pour faire du sport et découvrir de nouveaux horizons.

Sur 10 vacanciers...

LA PASSION DU CINÉMA

Les Français sont les Européens qui vont le plus au cinéma. Pourtant, le cinéma français va mal : de nombreuses salles ferment ; contrairement aux films américains, les films produits en France restent peu de temps à l'affiche. Seule exception récente, l'énorme succès des *Visiteurs* : 14 millions de Français ont vu les aventures du comte Godefroy de Montmirail et de son fidèle Jacquouille la fripouille...

...près de 5 partent au bord de la mer

... 2 vont à la campagne

LES FRANÇAIS CULTIVÉS ?

Grâce à la création du Grand Louvre, la France a le plus grand musée du monde et chaque année 14 millions de visiteurs se rendent dans les musées nationaux. 4 millions de lecteurs se pressent à la bibliothèque du centre Pompidou. En tête des livres les mieux vendus (les best-sellers), on trouve des livres de philosophie, d'histoire. Pourtant aujourd'hui, le livre résiste mal à la concurrence de la télévision : les Français passent en effet neuf fois plus de temps devant un écran de télévision ou d'ordinateur qu'à lire un livre.

CoÛT DES LOISIRS

En moyenne, les Français consacrent 5 000 F par an pour leurs loisirs : achats de jeux, jouets, disques, livres, places de cinéma, de spectacle, de théâtre ou entrées dans un parc de loisirs.

● **Étranges passe-temps**

Ils sont sigillographes, glacophiles, cervelobelophiles, numismates, ce sont des collectionneurs, dans l'ordre : de sceaux, de pots de yaourt, de sous-bocks de bière, de pièces de monnaie, sans parler des 8 % de Français philatélistes (collectionneurs de timbres).

● **Des héros venus d'Orient**

Les héros préférés des 7-12 ans viennent de l'empire du Soleil-Levant, le Japon. Ils s'appellent Power Rangers, Raman, Sangoku ou Sangohan. Ils ont de grands yeux, de longs cheveux, on les retrouve dans les bandes dessinées, les dessins animés, les jeux vidéo ou les cartes que l'on s'échange en cour de récréation...

...2 partent à la montagne

...I se rend à l'étranger, le plus souvent vers les pays du soleil (Espagne, Portugal, Italie).

truong

Jeux et sports

Le sport prend une place grandissante dans la vie des Français : 7 personnes sur 10 disent avoir une activité sportive. Les pratiques individuelles prennent le pas sur les sports d'équipe.

LES FRANÇAIS DEVIENNENT SPORTIFS

Les sports constituent les loisirs principaux des Français et attirent de plus en plus de monde, en particulier les jeunes. À cela, plusieurs causes : les Français ont davantage de temps libre, ils ont le souci de leur forme et veulent résister au stress ; d'autre part, les équipements se sont améliorés. On pratique surtout le football, la natation, le cyclisme, la randonnée, le tennis, le ski et… la pétanque ! On aime le sport en liberté, « à la carte », et aussi… à la télévision !

Un Français sur quatre assiste au moins une fois par an à un spectacle sportif payant.

CHIFFRES

Combien de temps les Français passent-ils à faire du sport ?
1975 : 3 minutes par jour
1995 : 8 minutes par jour

LE TOUR DE FRANCE

Créé en 1903, le « Tour » est devenu une grande fête populaire, avec ses traditions : étapes de montagne, arrivée sur les Champs-Élysées…

● **Quelques grands champions français**

Jean-Claude Killy : triple champion olympique de ski aux Jeux olympiques de 1968.

Michel Platini : capitaine de l'équipe de France de football qui s'est classée troisième dans la Coupe du monde de 1986.

Florence Artaud : première femme à remporter une course transatlantique à la voile en solitaire (la Route du rhum en 1990).

Alain Prost : 4 fois champion du monde des pilotes de formule 1.

Marie-José Pérec : championne olympique d'athlétisme (400 mètres aux Jeux olympiques de 1992 et 1996).

● **Activités à la mode**

Dans les années 1980 : jogging, aérobic, voile, planche à voile, tennis. Dans les années 1990 : golf, basket-ball, base-ball, et toutes les disciplines acrobatiques : parapente, escalade, surf, rafting…

● **Drôles de compétitions en Pays basque**

Le Pays basque a des traditions sportives originales, comme la pratique de la pelote basque. Des concours de souleveurs de pierres (qui pèsent parfois plus de 200 kg), de lever de charrette, de tireurs de corde (deux équipes s'affrontent) sont organisés.

la pelote basque

DISCIPLINES PRÉFÉRÉES DANS QUELQUES PAYS VOISINS

Grande-Bretagne : cricket, rugby, squash, football (inventé en Grande-Bretagne), mais aussi billard et fléchettes.
Danemark : badminton, football, handball.
Pays-Bas : volley-ball.

RECORDS ÉTONNANTS

Gérard d'Aboville a traversé l'Atlantique à la rame (1980, en 71 jours), puis le Pacifique (1991, en 133 jours).

Michel Bader détient le record du temps passé sous l'eau sans respirer (6 min 40s).

LES FRANÇAIS SONT JOUEURS

9 personnes sur 10 jouent à des jeux de société, surtout des jeux de cartes. Ils adorent aussi les jeux de hasard, pour lesquels ils dépensent en moyenne 1 200 F par an (Loto, casino, courses de chevaux…). Les Français consacrent 11 minutes par jour aux jeux.

Les Français à table

L a cuisine française est considérée comme une des meilleures du monde : excellents produits, qualité et diversité des mets, chefs prestigieux. Toutefois, de nouvelles habitudes alimentaires bousculent les traditions : plats tout faits, restauration rapide, grignotage.

● Histoire de la bonne chère

Dès le XVIIIe siècle, les rois d'abord, puis l'aristocratie et la bourgeoisie, ont fait se développer une cuisine de qualité. Au XXe siècle, toute la société a repris cet art de vivre.

SURNOM

Avez-vous déjà mangé des cuisses de grenouilles ?
Ce plat français surprend à ce point nos voisins Anglais qu'ils nous surnomment « froggies » (grenouilles, en anglais).

● Des repas de plus en plus rapides

Aujourd'hui, les repas sont moins longs et moins copieux qu'il y a vingt ans. Les Français boivent plus d'eau minérale et moins de vin. Les surgelés et les plats cuisinés font gagner du temps.

● Différences régionales

Traditionnellement, on cuisinait au beurre dans le nord et à l'huile au sud. On utilisait surtout des produits locaux. Aujourd'hui, les différences s'estompent : on consomme partout des volailles, du bœuf, des pommes de terre, des yaourts, du miel...

2
3
8
16
17
21
27
29

CHIFFRES

Les Français consacrent en moyenne :

17 minutes au petit déjeuner

33 minutes au déjeuner

38 minutes au dîner

Records d'Europe pour la consommation par an et par habitant...

... 22 kg de fromage

... 13 litres d'alcool

... 8,8 kg de beurre

● Les produits de nos régions

1. bêtises de Cambrai
2. crêpes
3. cidre
4. camembert
5. charcuterie
6. jambon
7. macarons
8. beurre
9. rillettes du Mans
10. moutarde de Dijon

● **Des produits de qualité**

Les produits les plus connus sont les vins et les fromages : au moins 400 fromages différents. Chaque petite région excelle dans une ou plusieurs productions : melon de Cavaillon, poulet de Bresse, andouille de Vire...

● **Le pain**

Les Français en consomment de moins en moins : 65 kg par an et par habitant (80 kg en 1970).

QUELQUES PLATS DE NOS RÉGIONS

Picardie : tarte aux poireaux
Normandie : tripes
Alsace : choucroute, kouglof
Bourgogne : coq au vin
Jura : meurette
Auvergne : potée
Dauphiné : gratin dauphinois
Provence : bouillabaisse, aïoli
Sud-Ouest : cassoulet, confit
Pyrénées : pipérade, garbure

● **Adieu bistrots, bonjour fast-food**

Les bistrots, petits cafés-restaurants d'habitués, dépérissent : ils ne sont plus que 80 000 contre 200 000 il y a trente ans. La restauration rapide se développe dans les villes (surtout la consommation de hamburger).

● **Une cuisine à deux vitesses**

Les jours de fête, parfois le dimanche, les Français retrouvent des recettes familiales et passent du temps à cuisiner. Ainsi s'achemine-t-on vers une cuisine à deux vitesses : sommaire en semaine, élaborée et variée dans les grandes occasions.

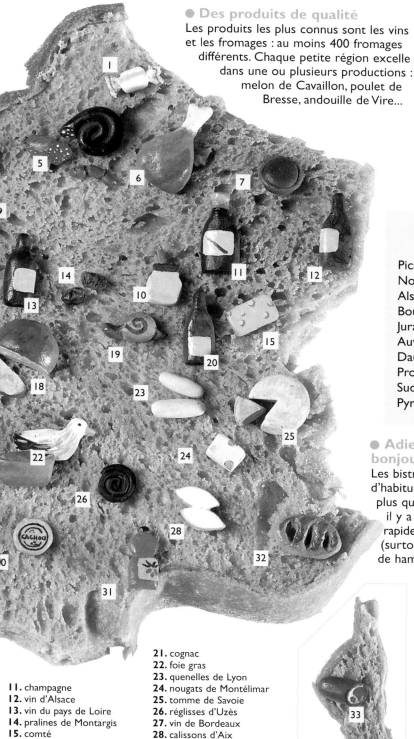

11. champagne
12. vin d'Alsace
13. vin du pays de Loire
14. pralines de Montargis
15. comté
16. fruits de mer
17. fromages de chèvre
18. pain
19. escargots de Bourgogne
20. vin de Bourgogne
21. cognac
22. foie gras
23. quenelles de Lyon
24. nougats de Montélimar
25. tomme de Savoie
26. réglisses d'Uzès
27. vin de Bordeaux
28. calissons d'Aix
29. jambon de Bayonne
30. cachou de Toulouse
31. huile d'olives
32. fougasse
33. coppa

Fêtes, folklore et traditions

Saint Nicolas

Le folklore français, très riche, exprime les traditions des différentes régions. Pardons bretons, Noëls provençaux, joutes nautiques, l'esprit de fête est partout, pour la plus grande joie de tous.

FÊTES ET SAISONS

Les manifestations folkloriques ont leurs saisons : en février, c'est le carnaval ; au printemps, les fêtes religieuses se multiplient ; les feux de la Saint-Jean marquent le début de l'été ; en automne, les vendanges fournissent des occasions de réjouissances ; en décembre, saint Nicolas apporte des cadeaux dans le nord du pays, partout ailleurs, on attend le Père Noël.

● Des fêtes régionales

À l'automne, dans le nord de la France, on fête la Ducasse : les villes organisent à l'automne des joutes sportives et se transforment en gigantesques foires.
Dans la vallée du Rhône, les mariniers s'affrontent chaque été dans les jeux nautiques.
Dans la région de Nîmes et dans le sud-ouest, les « férias » permettent aux amateurs de corridas d'assister dans les arènes aux combats du taureau face au toréador.

DE TRÈS TRÈS VIEILLES CHANSONS

Bon nombre de chansons françaises ont été composées il y a fort longtemps. Ainsi, « Auprès de ma blonde », chanson vendéenne, fut écrite vers 1630, « Malbrough s'en va t'en guerre » vers 1710. « J'ai du bon tabac » a plus de 300 ans, « À la claire fontaine » était chantée par les soldats français au Canada vers 1750.

PETIT CALENDRIER DES FÊTES

6 janvier
fête des Rois (visite des rois mages à l'enfant-Jésus). On mange une galette.

2 février
Chandeleur (présentation de Jésus au temple). On déguste des crêpes.

1er mai
fête du travail. On offre du muguet.

8 mai
anniversaire de la défaite de l'Allemagne en 1945 (fin de la Seconde Guerre mondiale en Europe) : défilés militaires.

● Costumes régionaux

Costume savoyard : sur leur costume, les Savoyards portent un bijou représentant une croix et un cœur : la ferrure. Autrefois, les jeunes hommes devaient « ferrer » leur bien-aimée pour l'épouser.

Costume breton : ces costumes se distinguent par leur somptuosité (robes et tabliers brodés, garnis de dentelles) et par la variété de leurs coiffes : celles du pays bigouden pouvaient atteindre 40 cm de hauteur.

Costume alsacien : le costume alsacien se distingue par son large ruban noir.

● Le carnaval de Nice

C'est le plus célèbre des carnavals français. Trois semaines avant mardi gras, Sa Majesté Carnaval fait son entrée dans la ville. Les samedis et dimanches suivants, cortèges, batailles de confettis et de fleurs, défilés de chars, bals masqués, feux d'artifice sont au programme des festivités.

● Les fêtes des saints patrons du Limousin

Ces fêtes spectaculaires ont lieu tous les sept ans.
À Saint-Junien, la rue principale est bordée d'immenses feuillages ; des cages remplies d'oiseaux sont accrochées dans les branches pour donner l'illusion de la forêt, dans laquelle vivait le saint patron en ermite. Les prochaines « ostensions » auront lieu en 2002.

14 juillet
fête nationale (anniversaire de la prise de la Bastille en 1789) : défilés militaires, bals en plein air, feux d'artifice.

1er novembre
Toussaint (fête de tous les saints). On fleurit les tombes de ses proches.

11 novembre
anniversaire de l'armistice de 1918 (fin de la Première Guerre mondiale) : défilés militaires.

25 novembre
Sainte-Catherine. Les jeunes filles qui ont 25 ans et ne sont pas encore mariées portent des chapeaux spectaculaires.

Le coq gaulois est devenu l'emblème des Français.

Curieux peuple que les Français. Très critiques à l'égard d'eux-mêmes et de leurs voisins, ils ne supportent pas que l'on attaque la France, qu'ils considèrent comme le plus beau pays du monde.

LES COLÈRES DU COQ GAULOIS

Pour les Romains, les Gaulois (en latin *Galli*) avaient le même caractère que le coq (en latin *gallus*). Orgueilleux et vaniteux, il représente souvent ces Français prêts à s'emporter à l'annonce de nouveaux impôts, fous de rage lorsque l'équipe de France perd en coupe d'Europe de foot ou en tournoi des Cinq Nations en rugby. Peu différents des autres peuples, les Français aiment pourtant se croire emportés, indisciplinés…

LES FRANÇAIS RÉVOLUTIONNAIRES

Les Français sont longtemps apparus comme les révolutionnaires de l'Europe. Pour tous, la devise révolutionnaire, « Liberté, égalité, fraternité » reste d'actualité. Mais les Français, plutôt conservateurs, sont en fait attachés aux traditions, aux fêtes religieuses et aux commémorations des grands événements historiques.

● **La France vue du dehors**
Vue des États-Unis ou du Japon, la France, ce petit pays à la pointe de l'Europe, se résume à quelques noms de lieux ou de personnes célèbres. La France, c'est : la tour Eiffel, les Champs-Élysées, le château de Versailles, Brigitte Bardot, le général de Gaulle, le philosophe Jean-Paul Sartre, le couturier Christian Dior et le champagne.

bal populaire du 14 Juillet

LES HÉROS DES FRANÇAIS

Les Français se reconnaissent dans les actions d'un certain nombre de personnages historiques ou de héros de fiction. Voici les héros préférés des Français : Vercingétorix, Jeanne d'Arc, le chevalier Bayard, Napoléon, Victor Hugo, Pasteur, Marie Curie, de Gaulle, *le Petit Prince* (de Saint-Exupéry), Bécassine, Arsène Lupin, Astérix.

● **Les terribles mangeurs de grenouilles**
En Angleterre, en Amérique, *Froggies*, les grenouilles, c'est le surnom des Français, ces *Frenchies* individualistes qui critiquent tout et veulent faire la leçon au monde entier. Dans le même temps, beaucoup nous envient de grandes réalisations comme le TGV ou la Sécurité sociale, si critiquée en France mais qui, vue d'Amérique, semble un modèle de justice et de santé pour tous.

LES FRANÇAIS FACE À LEURS VOISINS

Les Français ont longtemps cru qu'ils avaient la mission d'apporter la liberté aux autres peuples. C'est ce qui explique ce sentiment de supériorité très agaçant que les Français ont à l'égard de leurs voisins : on se moque des Belges et des Suisses, on critique Anglais, Espagnols, Italiens et Allemands, contre qui la France s'est trouvée trois fois en guerre. Curieusement, c'est de leurs voisins les plus critiqués, les Allemands, que les Français se disent les plus proches.

● **Le charme à la française**
À l'étranger, la France est souvent considérée comme le pays du bien vivre, de l'élégance, mais aussi de l'amour ! On envie aux Français leur cuisine, leurs couturiers et ce que l'on appelait autrefois la courtoisie, la galanterie des hommes à l'égard des femmes. Beaucoup d'étrangers s'imaginent toujours que c'est en France que l'on apprend à bien recevoir, à bien goûter le vin ou à offrir des fleurs le jour de la Saint-Valentin…

Le français tel qu'on le parle

I ssu du latin, le français s'est enrichi des apports d'autres langues. Il a beaucoup évolué, de l'ancien français au langage actuel, et continue de le faire aujourd'hui.

LES ORIGINES DU FRANÇAIS

La plupart des mots français proviennent du latin, parlé en Gaule après la conquête romaine. À partir du Ve siècle, les Francs ont adopté la langue des Gallo-Romains en l'enrichissant de mots germaniques et en la transformant ; c'est le dialecte de l'Île-de-France qui est devenu progressivement l'ancien français.

L'ORTHOGRAPHE

L'Académie française a été créée en 1634 par Richelieu pour réglementer la langue française.

Au Moyen Âge, le français était surtout une langue parlée, la plupart des textes étant rédigés en latin. En 1539, le français devient la langue officielle de l'administration. On commence alors à se préoccuper sérieusement de la façon de l'écrire ! L'orthographe, issue des travaux de l'Académie française, ne s'impose qu'au XIXe siècle ; c'est une des plus difficiles au monde.

DE QUAND DATE LE PREMIER TEXTE RÉDIGÉ EN FRANÇAIS ?

De 842. Il s'agit des *Serments de Strasbourg* qui scellent l'alliance entre deux fils de Charlemagne, Louis le Germanique et Charles le Chauve, contre leur frère Lothaire.

● **Les mots français : une salade russe !**
Le français a assimilé quantité de mots étrangers. Quelques exemples de mots venus d'ailleurs :

de l'anglais : parking, bouledogue, ... humour, film, sport

de l'espagnol : tomate, chocolat, caramel, tabac

de l'arabe : alcool, café, zéro, ... sirop, azur

des mots hindi : pyjama...

VERLAN ET LANGUE DES RUES

Depuis quelques années se développe dans les villes un langage propre aux jeunes que leurs aînés ont du mal à comprendre, avec des expressions particulières (c'est cool, je suis méga-flippé...), un rythme saccadé (comme le rap). Ils s'expriment parfois en verlan : c'est une manière de parler déjà ancienne, qui consiste à inverser les sons d'un mot (*une meuf* : une femme, *zarbi* : bizarre).

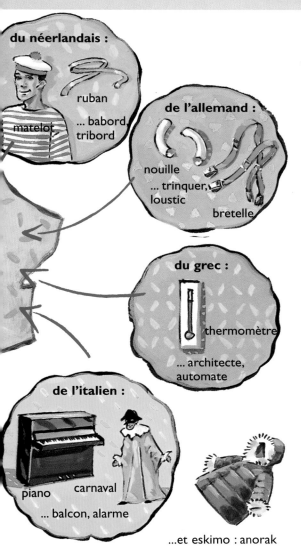

du néerlandais :

ruban

... babord,
tribord

matelot

de l'allemand :

nouille

... trinquer,
loustic

bretelle

du grec :

thermomètre

... architecte,
automate

de l'italien :

piano   carnaval

... balcon, alarme

...et eskimo : anorak

● **Des expressions propres à chaque langue**

On entend les mouches voler
devient en allemand :
on entend les poux tousser.

Engueuler quelqu'un comme du poisson pourri
devient en espagnol :
vomir des crapauds et des couleuvres.

Casser du sucre sur le dos de quelqu'un
devient en allemand :
traîner quelqu'un dans le cacao.

Il pleut des cordes devient en anglais :
il pleut des chiens et des chats.

● **Des langues régionales**

Les plus utilisées sont l'alsacien (parlé par une personne sur quatre dans la région) et le corse (parlé par un Corse sur dix).

**LE QUÉBÉCOIS :
100 % LANGUE FRANÇAISE**

Les habitants du Québec, province du Canada, parlent français. Très attachés à la langue française, ils ne veulent pas utiliser de mots anglais ; ainsi, ils disent fin de semaine et non week-end, chien chaud au lieu de hot-dog ; pour traverser la rue ils disent crosser la voie (*to cross the way*, en anglais).

Des expressions qui ont une histoi

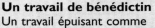

Un travail de bénédictin

Un travail épuisant comme celui des moines copistes qui recopiaient à la main d'interminables manuscrits.

Tomber dans les pommes

En vieux français, l'expression est *tomber dans les pâmes* ou *se pâmer*, ce qui signifie « s'évanouir ». Elle s'est déformée et, aujourd'hui, on s'évanouit… dans les pommes.

Conter fleurette

Au XIIᵉ siècle, les galants couronnent leur bien-aimée de bouquets de fleurs. *Conter fleurette*, c'est être amoureux, faire sa cour.

XIVᵉ - XVᵉ SIÈCLE

Payer en monnaie de singe

Au Moyen Âge, on payait pour traverser un pont. Les jongleurs passaient gratuitement en faisant faire des tours à leur singe. Aujourd'hui *payer en monnaie de singe* signifie « payer en fausse monnaie ».

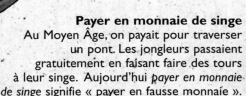

Manger de la vache enragée

Cette très ancienne expression signifie « traverser une période difficile ». Celui qui n'a aucune rentrée d'argent en est réduit à manger la vache dont personne ne veut, c'est-à-dire la vache enragée…

Filer à l'anglaise

À l'époque de la guerre de Cent Ans, les Anglais, ennemis héréditaires des Français, avaient tous les défauts. Se sauver en douce, en cachette, c'est *filer à l'anglaise*.

Un coup de Trafalgar

En 1805, Napoléon Iᵉʳ s'apprête à envahir l'Angleterre ; mais l'amiral anglais Nelson bat la flotte française au large de Gibraltar, près du cap Trafalgar. Le *coup de Trafalgar* est une défaite surprise et catastrophique.

Peigner la girafe

La première girafe connue en France est arrivée en 1827. Pour les moqueurs, c'était le seul fait marquant du règne de Charles X. Admirer, *peigner la girafe*, signifie depuis « ne rien faire ».

L'habit ne fait pas le moine

Attention aux apparences, elles sont trompeuses : des bandits de grand chemin sont parfois déguisés en grands seigneurs, un simple facteur peut être un grand artiste, une adorable grand-mère une criminelle…

XVIᴱ - XVIIIᴱ SIÈCLE

**S'habiller
de pied en cap**
Cap est un mot
occitan qui signifie
« tête ». *S'habiller
de pied en cap*
concernait le cheva-
lier qui revêtait une
armure le protégeant
totalement.
C'est, aujourd'hui,
avoir un équipement
complet.

Tirer le diable par la queue
Être si pauvre qu'on en est réduit
à signer un pacte avec le diable,
que l'on essaie désespérément
de retenir par la queue pour
éviter qu'il ne s'échappe.

**Ne pas être
dans son assiette**
L'assiette individuelle apparaît
au XVIᵉ siècle. L'assiette, c'est
aussi une position. *Ne pas être
dans son assiette*, c'est avoir
une mauvaise position et donc
se sentir mal à l'aise ou malade.

Avoir la puce à l'oreille
Être informé, averti
de quelque chose,
par un minuscule
détail irritant
comme une piqûre
de puce dans
l'oreille...

**Battre
à plates coutures**
Battre complètement
un adversaire.
Autrefois, les habits
étaient cousus main.
On battait les coutures
pour les écraser.

Faire une belle jambe
Au XVIIIᵉ siècle, les pantalons
courts s'arrêtaient au genou.
Les élégants moulaient leurs
jambes dans des bas de soie.
Faire une belle jambe signifie
« faire le coquet ». Par ironie,
l'expression désigne quelque
chose d'inutile ou de stupide.

XIXᴱ - XXᴱ SIÈCLE

**Entre la poire
et le fromage**
Au début du XIXᵉ siècle,
le repas s'arrêtait
aux fruits. Les alcools,
les fromages très forts
étaient dégustés après
le repas. En passant
au salon, on discutait
donc *entre la poire et
le fromage*.

Travailler au noir
L'expression est toute récente.
Le *noir*, c'est d'abord le marché noir de
la Seconde Guerre mondiale : marché
clandestin où l'on vend fort cher les
produits rarissimes comme la viande.
Aujourd'hui, le *travail au noir* c'est
le travail qui n'est pas déclaré.

Poser un lapin
Dans une diligence, le voyageur qui
est assis à côté du cocher et ne paie pas
est parfois appelé le « lapin ».
Le lapin est celui qui ne peut pas payer.
Mais *poser un lapin* signifie aussi
« faire attendre en vain ».

**Retourner
sa veste**
Changer d'avis.
Souvent utilisé en
politique à propos
de ceux qui adop-
tent brusquement
des idées
opposées à celles
qu'ils ont toujours
soutenues.

La France en chiffres

Les sommets

Alpes, mont Blanc :	4 807 mètres
Corse, monte Cinto :	2 710 mètres
Jura, crêt de la Neige :	1 723 mètres
Massif central, puy de Sancy :	1 886 mètres
Pyrénées, pic de Vignemale :	3 298 mètres
Vosges, ballon de Guebwiller :	1 424 mètres

Les fleuves

Garonne : 647 kilomètres   Rhône : 812 kilomètres
Loire :   1 012 kilomètres   Seine : 776 kilomètres

La population (en 1995)

Ensemble de la population : 58 millions
709 520 naissances
520 320 décès
11,4 millions de – de 15 ans
11,4 millions de + de 60 ans

L'éducation

1 Français sur 5 n'a aucun diplôme
3 millions d'adultes sont illettrés

Les premières entreprises françaises

Elf Aquitaine :	1re entreprise française et 46e entreprise mondiale
Aéronautique :	Aérospatiale

Agro-alimentaire :	Danone
Automobile :	Renault
Bâtiment :	Bouygues
Chimie :	Rhône-Poulenc
Cosmétiques :	L'Oréal
Distribution :	Carrefour
Électronique :	Alcatel
Informatique :	IBM France
Luxe et habillement :	Louis Vuitton (Dior)
Sidérurgie :	Usinor

Les performances

4e exportateur mondial
1er producteur mondial de vin
1er producteur de blé de l'Union européenne
production d'automobiles : 4e rang mondial,
2e d'Europe
1er producteur d'électricité d'origine nucléaire d'Europe
1er réseau routier d'Europe : 808 098 km
1er réseau ferroviaire d'Europe : 34 260 km
1er réseau fluvial d'Europe : 8 500 km
1er réseau de métro d'Europe : 305 km

La consommation d'énergie (en millions de tonnes)

charbon : 14,04   gaz :   29,49
pétrole : 93, 56   électricité : 85,85

INDEX

MEGA
la collection

3-6 ans   6-9 ans   9-13 ans   plus de 13 ans

Pour les 9-13 ans :

Crédits photographiques :

p. 8 : Gérard Sioen/Top. p. 14 : Anger Yvan/Pix. p. 15 m. : Hervé Champollion/Top ; b. : Jean-Luc Barde/Scope. p. 17 ht : G. Sioen/TOP; b J. Lepore/Jacana. p. 21 : Joe Cornish/Fotogram-Stone. p. 23 : Henderyckx bvba/La documentation française. p. 24 ht : M. Moisnard/Explorer ; b. : Luc Girard/Explorer. p. 25 ht : M. Renaudeau/Hoaqui ; b. Winfried Wisniewski/Jacana. p. 27 : ministère de la Culture-Gamma. p. 29 : Joe Cornish/Fotogram-Stone. p. 30 : La Grande Traversée, © 1996 Les éditions Albert René/Goscinny-Uderzo. p. 41 : Maxime Clery/Rapho. p. 44 : Starfoto-ZEFA. p. 51 : G. Dagli Orti. p. 80 : ht : J. L. Charmet ; b. arch. Nathan. p. 67 : Hubert Josse ; d. : G. Dagli Orti. p. 81 ht et bg. : arch. Nathan, bd. : éd. Belin. p. 84 : Elise Palix/Edimages. p. 85 : José Dupont/Explorer. p. 91 ht : Lauros/Giraudon ; ht-d. : G. Dagli Orti ; b. : D. Pec/Giraudon. p. 93 : arch. Nathan. p. 94 : Musée de la publicité - Paris. p. 98 ht : Hachette Livre/Gautier-Languereau, b. : arch. Nathan. p. 109 : Gérard Schachmes/Gamma. p. 111 g. : Rancurel photothèque ; d. Sipa/Sipa press. p. 112 : J. Anderson/Sygma. p. 113 ht : Sygma ; b. : Chesnot/Sipa Press. p. 145 : Roger-Viollet. p. 157 : Architectures Jean Nouvel. p. 115 : Jean-Michel Turpin/Gamma. p. 119 de g. à d. : Boyer-/Viollet ; Gamma ; Gamma ; Manuella Dupont/Gamma sport ; David Boutard/Gamma. p. 149 : Publicis/Renault, affiche de Ph. Petit-Roulet. p. 158 : Daniel Simon/Gamma. p. 159 ht : Chiasson/Gamma ; m : Raphaël Gaillarde/Gamma. p. 160-161 : M. Toussaint/Gamma. p. 166 : France Télécom.
Gardes : Laurent Rouvrais/Nathan. Couverture : hg. © 1996 Les éditions Albert René/Goscinny-Uderzo. 4e de couverture : bd : Veysset/Sygma. hg : X. Lahache/Canal +

N° d'Éditeur : 10030307 - (I) - (55) - CSBP - 135
Dépôt légal : août 1996
Impression et reliure : Pollina s.a., 85400 Luçon - n° 70252
ISBN 2-09-277071-3
Conforme à la loi n°49 956 du 16 juillet 1949
sur les publications destinées à la jeunesse

CANADA

Vancouver

QUÉBEC

SAINT-
PIERRE-ET-
MIQUELON

NOUVELLE-
ÉCOSSE

Louisiane

HAÏTI

GUADELOUPE

MARTINIQUE

SÉNÉGAL

MAURITAN

MALI

GUINÉE

BURK

GUYANE

Guyane
française

OCÉAN PACIFIQUE

OCÉAN ATLANTIQU

POLYNÉSIE
FRANÇAISE

pays où le français est langue maternelle

pays où le français est langue officielle

pays où le français est largement enseigné

minorité francophone